Cette édition des *Contes et Légendes du Moyen Âge*
est une version adaptée pour les jeunes lecteurs d'aujourd'hui.

© 1995 Éditions NATHAN pour la première édition
© 2010 Éditions NATHAN, SEJER, 25 avenue Pierre-de-Coubertin, 75013 Paris
pour la présente édition
Loi n° 49-956 du 16 juillet 1949 sur les publications destinées à la jeunesse,
modifiée par la loi n° 2011-525 du 17 mai 2011
ISBN 978-2-09-252791-7

JACQUELINE MIRANDE

CONTES ET LÉGENDES DU MOYEN ÂGE

Illustrations d'André Juillard

Nathan

LES CHANSONS DE GESTE

LA CHANSON DE ROLAND

1

I

LA TRAHISON DE GANELON

L'EMPEREUR Charlemagne guerroie en Espagne depuis sept ans pleins et sa barbe a blanchi. Certes, il a pris aux Sarrasins païens[1] quantité de terres, de châteaux et de villes mais il en est une qui lui échappe encore : c'est Saragosse que tient le roi Marsile.

Et le roi Marsile est inquiet. Il a réuni ses barons et il les interroge : comment éloigner

---

1. Sarrasins païens : au Moyen Âge, le monde était divisé en deux : d'un côté les chrétiens, de l'autre les païens. Parmi ces païens, on appelait Sarrasins les musulmans.

7

Charles[1] ? Car s'il vient par malheur à assiéger la ville, elle ne pourra résister longtemps et cela, tous le savent.

Blancandin, le subtil, conseille au roi la ruse :

– Envoyez-lui de l'or, il n'en a plus pour payer ses soldats, joignez-y s'il le faut l'un de nos enfants en otage, allez même jusqu'à promettre de vous convertir à la foi chrétienne mais posez-lui la condition que, pour la Saint-Michel, il ait quitté le sol d'Espagne.

C'est là un bon conseil et que Marsile approuve. Blancandin en personne mènera l'ambassade et il se met en route. Il chemine longtemps. Lorsque enfin il parvient devant Charles, il trouve l'empereur dans un verger fleuri, au milieu de ses pairs[2]: Roland, son neveu tant aimé et Olivier, dont jamais

Blancandin, le subtil, conseille au roi la ruse.

---

1. Charles : Charlemagne, en latin *Carolus magnus*, qui signifie « Charles le Grand ». C'est le roi des Francs.
2. Pairs, *n. m. pl.* : les personnages les plus importants du royaume. « Pair » signifie « égal ».

Roland ne se sépare, Girard de Roussillon, chargé d'années, le duc Ogier, l'archevêque Turpin et Ganelon aux yeux gris et au beau visage, qui a épousé la mère de Roland.

Tous écoutent parler l'envoyé de Marsile. Mais, face à ses promesses, Charles reste songeur. Il connaît trop sa perfidie et se méfie. N'a-t-il pas fait périr déjà deux de ses envoyés ? Faut-il lui en adresser un autre en réponse à cette ambassade ?

– Pour qu'il meure à son tour ? s'écrie Roland. Menez plutôt votre armée à Saragosse, faites-en le siège toute votre vie s'il le faut, mais ne traitez pas avec ce félon[1] !

– Ne traitez pas avec ce félon !

Ganelon s'est dressé et toise son beau-fils :

– Conseil d'orgueil ne doit pas l'emporter ! Laissons les fous et tenons-nous-en aux sages. Envoyez une ambassade au Sarrasin qui tient Saragosse.

---

1. Félon, *adj.* : traître.

Charles se range à cet avis, mais quel baron choisir ? Roland se propose et Olivier et Turpin. Charles les écarte. Il ne veut pas de l'un des douze pairs car il tient trop à eux.

– Envoyez Ganelon, dit alors Roland. Puisque vous suivez son conseil. Il n'en est pas de plus sage !

Ganelon rejette avec colère les grandes peaux de martre qui couvrent sa tunique en soie et fait face à Roland :

– Quelle rage te prend ? Est-ce parce que je suis ton beau-père que tu veux ma mort ? Mais si je reviens vivant de chez Marsile, tu pourrais bien toute ta vie t'en repentir !

Roland s'est dressé lui aussi et réplique :

– Je suis prêt à y aller à ta place !

– Tu n'es pas mon vassal et je ne suis pas ton seigneur[1]. Charles commande que j'aille à Saragosse, j'irai donc chez Marsile. Mais

---

1. Vassal et seigneur : au Moyen Âge, le seigneur, ou suzerain, est le maître. Son vassal lui est inférieur en puissance et en terres. Les deux hommes sont liés par un serment.

– Charles
commande
que j'aille
à Saragosse,
j'irai donc...
Mais
prends garde
à ma colère !

prends garde à ma colère ! Toi et Olivier et les douze pairs qui t'aiment tant !

– Vous avez trop de colère, dit Charles. Vous irez, certes, mais parce que moi, je vous le commande, non pas Roland !

Il tend à Ganelon son gant, le droit, mais au moment où Ganelon veut le prendre, le gant tombe à terre[1]. Les barons en sont effrayés et se disent entre eux :

– Dieu ! Que va-t-il résulter de cette ambassade ? Sans doute une grande perte pour nous !

– Seigneurs, réplique avec orgueil Ganelon, vous en entendrez des nouvelles !

Et il s'en va à Saragosse auprès du roi Marsile.

Ce dernier le reçoit avec honneur et dit :

– Votre empereur Charles est très vieux, il

---

1. Gant, *n. m.* : le gant peut avoir plusieurs significations. On le tendait en signe d'hommage ou d'alliance, on le jetait en signe de provocation. Ici Charlemagne le tend à Ganelon pour témoigner qu'il va être son ambassadeur, Ganelon a un geste maladroit et le gant tombe comme une provocation.

a usé son temps. Quand sera-t-il lassé de guerroyer ?

– Il ne cessera pas tant que vivra Roland. Et aussi Olivier, son compagnon, et les douze pairs que Charles aime tant. Grâce à eux et grâce à Roland, il ne craint personne.

Marsile reste songeur un grand moment.

– Il me faudra donc faire périr Roland. Mais de quelle manière ? demande-t-il comme se parlant à lui-même.

Ganelon entrevoit sa vengeance et répond :

– Quand Charles passera les cols de la montagne, il aura derrière lui, en arrière-garde, vingt mille hommes. S'il plaçait à leur tête Roland et Olivier, vous enverriez, vous, cent mille de vos soldats pour les combattre. Vous en perdriez certes beaucoup car Roland sait se battre mais à la fin, sous le nombre, il succomberait. Roland mort, Charles resterait en repos car il serait comme un homme qui a perdu le bras droit de son corps.

Quand Marsile l'entend, il exulte, baise au

cou Ganelon, lui offre des bijoux, un heaume[1], une épée rare et bien d'autres trésors. Tous, à la cour de Marsile, entourent Ganelon et chacun va lui répétant : « Faites mettre Roland à l'arrière-garde ! »

Ganelon repart auprès de Charlemagne.

De nouveau, l'empereur a assemblé ses pairs pour entendre le récit de Ganelon. Le succès de son ambassade réjouit Charles. Il ne soupçonne pas la trahison de Ganelon et donne l'ordre de se mettre en marche. Cette fois, on quitte l'Espagne. On rentre en France.

Une nuit s'écoule. L'aube claire apparaît. L'empereur chevauche au milieu de son armée. Les cols sont proches qu'on va franchir. Charlemagne interroge :

– Seigneurs barons, qui tiendra l'arrière-garde ?

C'est l'occasion ! Ganelon répond aussitôt :

---

1. Heaume, *n. m.* : grand casque enveloppant toute la tête et le visage.

– Roland, mon beau-fils. Aucun de vos barons n'a autant de bravoure !

Cependant l'empereur hésite et regarde Ganelon avec colère. Il craint pour Roland, il ne sait pourquoi et cherche à en nommer un autre. Mais déjà Roland s'est dressé.

Son orgueilleux honneur exige qu'il accepte et brave le danger car il se méfie, lui, de quelque traîtrise de Ganelon qui le hait. Il s'adresse à Charles :

– Dieu me confonde si je démens ma race ! Passez les cols en toute sûreté. Vous ne craindrez personne, moi vivant !

L'empereur a baissé la tête et ne peut se retenir de pleurer tandis que Roland prend l'arc et le bâton de commandement, puis s'éloigne vers l'arrière-garde.

*Du haut
d'un roc effilé
Olivier a vu
les armures
luire sous
le soleil
et les épées
étinceler.*

LA MORT DE ROLAND

CHARLEMAGNE et ses hommes ont traversé les défilés. Déjà ils aperçoivent la terre de Gascogne et plus d'un se rappelle son fief[1] ou son domaine et pleure de tendresse en songeant à sa femme, à sa fille...

Charles ne songe qu'à Roland, son beau neveu, resté aux ports d'Espagne avec l'arrière-garde pour protéger le reste de l'armée. Un

---

1. Fief, *n. m.* : domaine confié par un seigneur à son vassal en échange de services.

pressentiment l'a saisi, l'angoisse lui serre le cœur et tous autour de lui s'interrogent, commençant à craindre un piège où tomberait Roland.

Cependant, le roi Marsile a réuni une armée de quatre cent mille hommes que commande son propre neveu. Il a juré de tuer Roland et de s'emparer de Durandal, sa célèbre épée. L'armée païenne s'est mise en marche et bientôt aperçoit, au loin, les premiers étendards de l'arrière-garde.

– Sonnez de votre cor.

Du haut d'un roc effilé, Olivier a vu les armures luire sous le soleil et les épées étinceler. Il court vers Roland :

– Les païens approchent. Ils sont en force et nous sommes très peu. Sonnez de votre cor. Charles l'entendra et l'armée reviendra nous aider au combat !

– Pour perdre son renom[1] ! crie Roland. Jamais !

---

1. Renom, *n. m.* : gloire, renommée, bonne réputation.

Olivier insiste :

– Sonnez de l'oliphant ! (Le cor de Roland était tout fait de l'ivoire d'une défense d'éléphant.) Que Charles nous secoure tant qu'il est temps !

– Que Dieu me méprise d'avoir appelé à l'aide pour des païens !

– Où serait le blâme[1] ? Les Sarrasins d'Espagne sont si nombreux que j'ai vu leur armée couvrir la montagne avec ses vallées et ses landes et nous n'avons qu'une bien faible troupe !

Roland s'entête dans son refus et crie :

– Mieux vaut mourir que tomber dans la honte !

Olivier le sage renonce à convaincre Roland le téméraire ! Mais tous deux ont un égal courage. Dès que l'armée païenne est là, ils se lancent dans la bataille, plus fiers que lion ou léopard ! Ils frappent avec rage,

– Mieux vaut mourir que tomber dans la honte !

_____
1. Blâme, *n. m.* : reproche, critique, condamnation.

19

tranchent des poings, des flancs, des échines. Le sang coule en filets clairs sur le vert de l'herbe.

Tant de souffrance, tant d'hommes morts, blessés, sanglants, gisant l'un sur l'autre, face au ciel ou face contre terre !

Roland a tué le neveu de Marsile dès le début du combat et tant frappé de son épieu[1] qu'il s'est brisé. Maintenant il tient à deux mains Durandal, sa bonne épée, et frappe ! Il brise les heaumes brillant de pierreries, transperce les montures à travers les selles incrustées d'or. Hommes et chevaux s'abattent sur l'herbe drue. Mais il vient sans cesse de nouveaux ennemis, surgis de toutes parts et les chevaliers francs, autour de Roland, s'épuisent.

... À la même heure, en France, s'élève une étrange tourmente : tonnerre et vent,

---

1. Épieu, *n. m.* : gros et long bâton terminé par une pointe en fer plate, large et pointue.

grêle et pluie. La foudre tombe, la terre tremble. Les gens épouvantés se signent, croyant y voir l'annonce de la fin des temps. Non point la fin du monde, mais la mort de Roland…

Car l'armée païenne, innombrable, en assauts successifs a décimé les Francs. Lutter contre un tel nombre ? Roland ne le peut plus. Il le voit et il se résigne. Il appelle Olivier et porte le cor à sa bouche.

– Qu'espérez-vous ? fait avec amertume Olivier. Il est trop tard pour rien sauver ! Que n'avez-vous sonné du cor quand je vous en priais ? Tous nos hommes sont morts à cause de vous et de votre folle témérité ! Mourez à votre tour sans demander à Charles une aide qui ne viendra plus à temps !

Roland va lui répondre mais Turpin, l'archevêque, tout blessé qu'il est, craint une querelle et s'approche d'eux.

– Peu importe qu'il soit trop tard pour

nous sauver. Du moins, en revenant, Charles nous vengera !

Roland sonne avec force. L'écho de la montagne répercute le son. À trente lieues de là, Charlemagne l'entend, s'arrête.

– Nos hommes livrent sûrement bataille ! C'est le cor de Roland !

Ganelon hausse les épaules et rit :

Roland sonne avec force.

– Roland a trop d'orgueil pour appeler à l'aide quand il livre bataille. Il chasse quelque lièvre et sonne de la trompe pour cette seule raison !

Les barons l'approuvent et Charles chevauche.

À trois reprises encore, et à grand-peine, car sa bouche est en sang et sa tempe rompue, Roland sonne de l'olifant.

Alors Charles et tous ses barons s'arrêtent – ils ont enfin compris l'appel désespéré que leur lance Roland. Ils s'arment vivement et s'élancent vers les défilés qu'ils avaient quittés.

Autour de Roland, il n'y a plus que des morts. Olivier gît la face contre terre et, à cette vue, Roland est brisé de douleur. Son corps saigne de cent blessures, ses forces le trahissent. Il sent qu'il va mourir. Il prend dans ses mains Durandal, la regarde.

– Que tu es belle et claire ! Par toi, j'ai conquis tant de terres que tient Charles, empereur à la barbe fleurie. Dans ton pommeau doré il y a tant de reliques saintes[1] ! Aucun païen ne doit te posséder.

Il sent qu'il va mourir.

Il lève l'épée et frappe le roc. L'épée grince mais ne se brise pas. Seul le roc se fend. À deux reprises il en est de même. Il renonce. Il sent que la mort le pénètre, de la tête lui descend au cœur.

Alors il s'étend sous un pin, place sous lui son épée et son cor. Il tourne son visage vers l'Espagne, se frappe la poitrine pour le par-

---

1. Relique sainte, *n. f.* : morceau de corps ou d'objet ayant appartenu à un saint et que l'on vénère. Roland en a fait enfermer dans le pommeau de son épée, c'est-à-dire la poignée.

don de ses péchés et, comme à son suzerain, il tend vers Dieu son gant.

Et Dieu lui envoie ses anges qui emportent son âme au Paradis.

CHARLEMAGNE À RONCEVAUX

CHARLES est parvenu au lieu de la bataille, cet endroit nommé Roncevaux. Il marche parmi les morts dont le sang a teint l'herbe de rouge. Il cherche son neveu Roland, le trouve gisant sous le pin. Son visage n'a plus de couleur et ses yeux sont pleins de ténèbres. Charles s'agenouille, prend le corps contre lui et pleure amèrement :

– Roland, beau doux neveu, quand je serai de nouveau en France et qu'on me questionnera : « Où est Roland le preux ? », quand de retour à Aix, ma capitale, mes hommes me demanderont ce que tu es devenu, à tous je répondrai : « Il est mort en Espagne. » Je n'aurai plus de jours sans pleurer ni gémir !

Charles tire à deux mains sa barbe et ses cheveux, tant il a de douleur.

– France, comme sans lui tu vas être déserte ! J'ai si grand deuil[1] que je voudrais ne plus exister !

Tous les barons se taisent par respect pour sa peine. Mais il lui faut remonter à cheval et songer à se battre : les armées païennes sont restées près de là et, déjà, surgissent leurs avant-gardes.

À nouveau la bataille s'engage et dure jusqu'au soir : une terrible mêlée de guerriers effrayants au cuir dur comme fer.

Certains sont des géants couverts de soies de porc mais aux côtés de Charles cent mille soldats francs luttent avec ardeur. Vers le soir

---

1. Deuil, *n. m.* : douleur, peine, chagrin.

Charles combat seul à seul l'émir[1] païen. Sans l'aide de Dieu, peut-être succomberait-il ? Mais l'ange Gabriel le guide. Il frappe l'émir de l'épée de France, lui brise le heaume où les gemmes[2] flambent, lui fend la tête et l'abat, mort, sans recours. Le reste des païens, alors, s'enfuit.

---

1. Émir, *n. m.* : chef des musulmans.
2. Gemme, *n. f.* : pierre précieuse.

LA MORT D'AUDE

À l'annonce de la défaite, Marsile meurt de désespoir. Pour achever de venger Roland, Charlemagne prend Saragosse. Puis il revient en France. Il ramène avec lui le corps de Roland et celui d'Olivier, mis tous deux en des cercueils blancs qu'il dépose à Blaye.

Vient enfin le jour où il retrouve Aix, sa capitale, où il entre à nouveau dans son palais.

La belle Aude court vers lui et s'inquiète :

– Où est Roland qui jura de me prendre pour femme ?

Charles détourne le regard :

– C'est d'un mort que tu t'enquiers !

Il voit son effroi et son désespoir et il lui parle doucement :

– Belle amie, je te donnerai Louis, mon propre fils, à sa place. Je ne peux mieux te dire ni t'offrir.

– Ne plaise à Dieu, ni à ses saints ni à ses anges qu'après Roland je demeure vivante !

Elle perd toute couleur et tombe aux pieds de Charles qui la prend par la main, la relève, la croit évanouie. Mais hélas, elle est morte, Aude la Belle, de désespoir. Et l'empereur Charles en a bien de la peine.

Il faut que soit puni le traître Ganelon.

v

LE CHÂTIMENT DE GANELON

ATTACHÉ devant le palais par des chaînes de fer, mains liées avec des courroies en cuir de cerf, battu de fouets et de bâtons, le félon attend son jugement.

Que dira-t-il pour sa défense ? Il n'est pas à court d'arguments et trente de ses parents le soutiennent. Il n'a pas voulu trahir l'empereur mais se venger de Roland qui lui a causé jadis mille peines et affronts. Il ne dit pas lesquels ! Et pour cause !

Les barons, cependant, en l'écoutant, hésitent et plus d'un invite Charles à se montrer clément.

Charles baisse la tête et le visage : tous l'abandonnent ! Mais voici que se dresse Thierry, frère du duc Geoffroy d'Anjou. Il est élancé, mince et brun et dit à voix très claire :

– Quelque faute que Roland ait commise envers Ganelon, il était à votre service et, en trahissant Roland, c'est vous que Ganelon le félon a trahi. Je juge qu'on doit le pendre et s'il a un parent pour me porter le démenti, de cette épée que voici je suis prêt à soutenir mon jugement sur-le-champ.

Pinabel se propose et le combat commence au-dessous de la ville, sur une large prairie. Les deux barons s'affrontent. Ils ont revêtu leurs hauberts[1] blancs, pendu leurs écus[2] à leur cou, ceint leurs épées à garde[3] d'or. Leurs chevaux

---

1. Haubert, *n. m.* : tunique de mailles servant à protéger le corps des coups d'épée.

2. Écu, *n. m.* : bouclier long.

3. Garde, *n. f.* : rebord qui, placé entre la lame et la poignée de l'épée, sert à protéger la main.

sont rapides. Ils les éperonnent et se frappent l'un l'autre. Leur combat dure longtemps, tous deux sont blessés mais à la fin Thierry d'Anjou l'emporte. Pinabel gît à terre, mort.

Dieu a rendu son jugement. Ganelon doit mourir. Comme un traître. Tous ses parents seront pendus. Car « Quiconque trahit se perd et les autres avec lui ».

Ainsi finit ce très ancien récit qui a pour nom « La chanson de Roland ».

LA CHANSON DE GUILLAUME D'ORANGE

2

I

LE CHARROI DE NÎMES

C'ÉTAIT le mois de mai, le temps où les prés sont verts, les arbres feuillus, les jardins en fleurs et où partout les oiseaux chantent.

Le comte Guillaume revenait de chasser en forêt, faucon [1] au poing, escorté de ses chevaliers. Et les chiens de la meute sautaient gaiement autour d'eux.

---

1. Faucon, *n. m.* : oiseau de proie qu'on dressait à tuer le gibier. Quand il ne volait pas, il était perché sur le poing de son maître.

Mais à peine était-il rentré dans sa demeure de Paris qu'un de ses hommes courut vers lui :

– Pendant que vous chassez, l'empereur Louis distribue fiefs et châteaux à ceux qui l'entourent et il semble vous oublier, vous qui le servez pourtant loyalement !

À ces mots, le comte Guillaume éclata d'un rire étrange, plus violent que joyeux, et qui fit tout trembler, autour de lui, même les arbres !

– Je vais, moi, lui parler !

– Je vais, moi, lui parler !

Et il se dirigea vers le palais. En le voyant gravir les marches, les barons furent pris de peur et l'empereur Louis, étonné, s'avança vers lui.

Les yeux de Guillaume lançaient des éclairs et sa voix tonna, pleine de colère :

– Empereur Louis, fils de Charlemagne, ne vous ai-je point toujours loyalement servi ? N'ai-je point livré pour vous tant et tant de batailles, allant jusqu'à tuer, pour vous défendre, de jeunes et bons chrétiens – et que Dieu me pardonne car ce fut là un grand

péché ! – Quel profit en ai-je tiré ? pas même
le grain qui nourrit mon cheval !

– Patientez un peu, dit l'empereur embarrassé, dès que mourra un de mes pairs, je
vous donnerai ses terres !

– Attendre encore ! fit avec la même colère
le comte Guillaume. Avez-vous oublié votre
couronnement que vous me devez en partie,
le géant Corsolt dont je vous ai débarrassé au
cours d'un combat où je perdis la moitié de
mon nez, et la grande armée d'Othon devant
laquelle vous fuyiez et que j'ai vaincue, faisant ainsi de vous le maître de Rome ? Vous
ne vous en souvenez guère en partageant vos
terres !

*– Vous êtes
en colère,
comte
Guillaume...*

– Vous êtes en colère, comte Guillaume, je
le vois bien, mais je vais vous faire un beau
cadeau : je vous donne la terre du comte
Foulque.

– Je ne la prendrai pas, répliqua Guillaume,
dont la colère augmentait. Foulque est mort
en laissant deux enfants et je ne suis pas de

ceux qui dépouillent les orphelins ! Donnez-moi une autre terre !

– Celle du marquis Béranger, alors. Lui aussi vient de mourir !

– En laissant lui aussi un fils ! (Guillaume s'étranglait de fureur.) Béranger a lutté pour vous sans relâche, jusqu'à en périr. Est-ce ainsi que vous récompensez sa fidélité ? En arrachant son bien à son enfant pour me le donner ? Quel souverain êtes-vous donc ?

– C'est bon, dit avec dépit l'empereur Louis, je vous donnerai une autre terre, tenez, je vous donnerai le quart de la France avec ses abbayes, ses villes, ses chevaliers, ses bourgeois, ses vilains, ses dames, ses prêtres, ses moines... Oui, j'irai jusqu'à vous donner le quart de mon empire !

– Pour qu'on clame partout que je me le suis fait donner en vous arrachant les morceaux de la bouche ? Non, merci !

– Je ne sais plus, alors, que vous offrir qui vous satisfasse !

Le comte Guillaume réfléchit un instant. Sa colère avait diminué et il avait assez bravé son souverain !

– Donnez-moi, dit-il, l'Espagne avec Toulouse, Nîmes et Orange, en souvenir de mon père, Aimeri, qui fut comte de Narbonne avant que les païens maudits ne s'emparent de ses terres ! Ce sera un fief digne de moi !

L'empereur secoua la tête.

– Comment pourrais-je vous donner ce qui ne m'appartient pas mais est aux mains des Sarrasins ?

– Je le conquerrai pour vous et, le possédant, ce fief, je vous en ferai hommage !

– Agis donc à ta guise et que Dieu te protège !

Sans perdre une minute, le comte Guillaume réunit une armée, les chevaliers les plus braves et les plus pauvres désireux de conquérir gloire, chevaux, châteaux…

Ils furent trente mille à partir avec lui vers l'Espagne, vers Orange et Nîmes.

Ils traversèrent toute la France, les prés verts du Berry, les montagnes d'Auvergne, des forêts épaisses, des villages, des vignes. Un matin enfin, ils aperçurent Nîmes.

La ville était entourée de remparts, de fossés et de tours, fortifiée jusqu'à l'imprenable. Et tous se regardaient en songeant au rude combat qu'il leur faudrait livrer sans être sûrs de l'emporter.

Or, il y avait là, près d'eux, des enfants qui jouaient avec un gros tonneau.

– Par ma foi, dit soudain un des chevaliers, si nous avions mille tonneaux comme celui-ci, tous remplis de nos hommes, il nous serait facile d'entrer dans la ville et, après, de nous en emparer !

– L'idée est bonne et me convient ! s'écria Guillaume dont le visage, jusque-là sombre, s'éclaira. Nîmes sera à nous plus vite qu'on ne pense !

Ils réunirent aussitôt tous les tonneaux et tous les fûts qu'ils purent trouver, achetèrent bœufs et charrettes en quantité. Et, quelques jours plus tard, on put voir des chevaliers devenus charretiers conduire des attelages et Guillaume, transformé en marchand, monté sur une vieille jument tout ce qu'il y avait de pacifique[1] !

Les voilà aux portes de Nîmes. Du haut de leurs remparts, les Sarrasins les observaient.

– Ohé ! cria l'un d'eux, que nous apportez-vous de beau, braves marchands ?

– Des draps de pourpre et d'écarlate, des épées, des casques, des cuirasses, des boucliers, répondit Guillaume en imitant le boniment des marchands. Nous avons aussi des eaux de senteur, des orfèvreries, des épices...

Les portes de la ville s'ouvrirent alors et Guillaume fut dans la place, avec tous ses gens bien cachés au creux des tonneaux !

---

1. Pacifique, *adj.* : paisible, calme, par opposition à la fougue des chevaux de guerre qu'un chevalier comme Guillaume monte d'habitude.

Selon l'usage, il se rendit auprès du roi sarrasin qui tenait la ville et demanda sa protection.

– Qui es-tu, marchand ? demanda le roi.

– Un père de famille anglais. J'ai dix-huit enfants dans mon pays.

– Quel est ton nom ?

– On me nomme Tiacre.

– Tu dois avoir vu de lointains pays pour ton commerce…

– J'ai parcouru la moitié de la terre. Aussi ai-je de belles marchandises qui vous plairont assurément ! Les plus belles peaux du monde, du vif-argent, des encens, du poivre…

Et il recommence son boniment !

Mais tandis qu'il parlait, le roi païen l'observait.

– Ton nez, dit-il, a une étrange forme, on le croirait à demi coupé comme celui du fils d'Aimeri de Narbonne, celui qu'on nomme « au court nez » depuis son combat avec le géant Corsolt. Ne le connais-tu pas ?

Pendant que Guillaume, embarrassé, cherche une réponse, le roi sarrasin s'impatiente :

– Allons, réponds !

Et il tire sur la barbe du soi-disant marchand. C'en est trop ! Guillaume ne peut supporter cette offense. D'un coup de poing, il étend le roi raide mort à ses pieds ! Et aussitôt sonne du cor.

Chevaliers et soldats sortent de leurs tonneaux et se jettent sur les Sarrasins trop stupéfaits pour se défendre. Ils en firent un grand massacre.

C'est ainsi que Guillaume prit Nîmes, première ville de son fief, et le bruit de cet exploit retentit dans tout le pays.

*Un jour,
arriva, noir
de poussière,
un jeune
chevalier.*

II

LA PRISE D'ORANGE

Le comte Guillaume vivait en paix dans sa ville de Nîmes conquise sur les Sarrasins. Trop en paix à son gré car il aimait l'aventure et la guerre, et nul ennemi n'osait l'attaquer.

Or, un jour, arriva, noir de poussière sur un cheval fourbu, un jeune chevalier du nom de Gilbert. Il venait de s'enfuir d'Orange où les Sarrasins du roi Arragon l'avaient, trois années durant, tenu prisonnier.

On le conduisit devant Guillaume et il se mit à raconter : quelle pitié c'était de voir une si belle ville entre les mains des païens ! Il décrivit la splendeur des palais de marbre, les riches ornements des murs, les oiseaux innombrables, les fleurs aux parfums rares.

– Et cependant, dit-il, tant de beautés disparaissent aux yeux de qui peut voir la belle Orable, la femme du roi Thibaud d'Afrique, une princesse merveilleuse, digne – si elle n'était païenne – de devenir reine de France.

Le comte Guillaume écoutait avec une grande attention. Il eut envie de connaître cette femme si belle. Il lui fallait, pour cela, pénétrer dans Orange et la ville était bien gardée.

Mais Guillaume avait plus d'une ruse dans son sac ! Il prit avec lui Gilbert et un autre chevalier et, pour qu'on ne puisse les reconnaître, tous trois s'enduisirent le visage et le corps d'une teinture si noire qu'on aurait juré voir des Africains ! Personne n'eût pu penser que c'étaient là trois bons chevaliers chrétiens !

Les voilà partis pour Orange.

Les voilà partis pour Orange. Devant les portes de la ville ils crièrent :

– Nous sommes des serviteurs du roi Thibaud d'Afrique chargés d'apporter un message à sa femme, la belle Orable.

Les gardes eurent beau les scruter longuement – car ils étaient méfiants –, ils ne percèrent pas la ruse et les laissèrent entrer.

Les trois hommes s'avancèrent hardiment dans les rues, admirant au passage les palais de marbre, les jardins, les oiseaux, tout ce que Gilbert avait décrit. Même la tour de la citadelle, la Gloriette, était en marbre !

Quand ils furent arrivés à la demeure du roi Arragon, un serviteur les conduisit jusqu'à la belle Orable.

Elle était assise sur des coussins brodés d'or et d'argent, au milieu de ses femmes, dans un jardin semblable à ceux du paradis où volaient mille oiseaux aux brillantes couleurs, où poussaient des fleurs aux parfums suaves. Et elle était si belle que, sur-le-champ, Guillaume en devint follement amoureux.

– Nous sommes des serviteurs du roi Thibaud d'Afrique.

Le roi Arragon, sans méfiance, les croyant envoyés de son suzerain Thibaud d'Afrique, les invita à séjourner au palais. La belle Orable devina-t-elle en Guillaume, sous son déguisement, le chevalier chrétien ? Elle n'en laissa en tout cas rien paraître. Mais chaque jour ses yeux se faisaient plus tendres pour le regarder. Bientôt Guillaume sut qu'il était aimé de la belle Orable autant que lui l'aimait. Et il fut au comble du bonheur.

Par malheur pour lui arriva à Orange un païen qui avait habité Nîmes. Il reconnut Guillaume à son court nez et aussi Gilbert qu'il avait gardé en prison à Orange peu de temps auparavant.

Il courut avertir le roi Arragon qui devint fou de joie à la pensée qu'il tenait entre ses mains, là, dans ses murs, le héros de la chrétienté, le fameux comte Guillaume, le pire de leurs adversaires. Il ne pouvait lui échapper.

Il est vrai que Guillaume et ses deux chevaliers se trouvaient en triste posture. Comment lutter, seuls, contre plusieurs milliers de païens ?

Guillaume se tourna d'abord vers Dieu et lui adressa une courte prière. Puis il saisit un bâton – car il n'avait aucune arme – et, se jetant sur le traître qui l'avait dénoncé, il l'étendit raide mort à ses pieds.

Ses compagnons l'imitèrent et tous trois frappèrent si vaillamment que les Sarrasins, surpris et effrayés, reculèrent un instant, abandonnant la tour de Gloriette. Nos trois hommes coururent s'y enfermer, levèrent en toute hâte le pont-levis et se virent provisoirement sauvés.

Mais ils n'avaient toujours pas d'armes et les flèches ennemies commençaient à pleuvoir dru. C'est alors que la belle Orable, par amour de Guillaume, vint à leur secours. Elle leur apporta les armes de Thibaud son époux.

Désormais ils pouvaient se battre et ils le firent avec rage, avec furie, repoussèrent deux assauts puis, succombant sous le nombre, furent pris par le roi Arragon et enfermés dans la tour de Gloriette où, par ruse, Orable vint les délivrer. Elle cacha Guillaume et l'autre chevalier et, guidant Gilbert à travers un souterrain qu'elle seule connaissait, le fit sortir près du Rhône pour qu'il s'en aille à Nîmes demander du secours.

Mais dans le même temps, le roi Thibaud d'Afrique, averti de la présence de Guillaume à Orange, dépêchait une forte armée pour aider Arragon à s'emparer du comte.

L'angoisse étreignait Guillaume : laquelle des deux arriverait la première ? Celle qui le délivrerait ou celle qui serait cause de sa mort ?

Car il voyait déjà monter la fumée du bûcher qu'on préparait pour le brûler. La belle Orable était aussi désespérée que lui, tant ces deux-là s'aimaient.

Pour leur bonheur, ce fut l'armée de Nîmes qui arriva sous les murs d'Orange et l'affaire fut rondement menée. Portes forcées, murs écroulés, la ville tomba aux mains des hommes d'armes venus délivrer leur comte Guillaume.

Et ils le proclamèrent comte d'Orange. De là lui vint le nom qui le rendit célèbre : Guillaume d'Orange. La belle Orable se fit chrétienne et, prenant le nom de Guibourg, épousa Guillaume. Ils s'aimèrent de longues années, d'après ce que dit leur légende.

LES FABLIAUX

*L'un entre
dans le jardin
et vivement
coupe autant
de choux
qu'il peut.*

LES CONTES
À RIRE

I

ESTULA

Il y avait jadis deux frères, orphelins de père et de mère et vivant seuls, sans autre compagnie que celle de la pauvreté – la pire des maladies !

Ils habitaient ensemble une masure délabrée et sans feu. Une nuit de grande détresse où ils souffraient comme jamais de faim, de soif et de froid, ils se demandèrent ce qu'ils pourraient faire pour sortir de cette misère.

Or habitait à côté d'eux un homme connu pour sa richesse et qui était très sot. Il avait quantité de choux dans son jardin et quantité de brebis dans son étable.

La pauvreté rend fous les hommes, c'est bien connu ! Voilà donc nos deux frères, profitant de la nuit, qui se rendent chez le voisin. L'un prend un sac à son cou, l'autre un couteau à la main : tous deux se mettent en route.

L'un entre dans le jardin et vivement coupe autant de choux qu'il le peut pour emplir son sac.

L'autre, pendant ce temps, se dirige vers l'étable, en ouvre la porte, commence à tâter les moutons, en trouve un gros et gras, le saisit et va pour l'emporter.

Mais dans la maison du riche voisin personne n'était encore couché et l'on entendit grincer la porte de l'étable – si doucement qu'ait fait le voleur.

L'homme appela son fils :

– Va voir au jardin s'il n'y a rien d'inquiétant. Appelle le chien de garde !

Ce chien s'appelait Estula. Par chance pour les deux frères, il n'était pas dans le jardin cette nuit-là !

Le fils sort donc, ouvre la porte donnant sur la cour et crie :

– Estula !

– Oui, je suis là ! répond le frère qui était dans l'étable en train de prendre le mouton le plus gras.

La nuit était obscure, très noire, si bien que le garçon qui appelait le chien ne put apercevoir celui qui lui avait répondu. Il crut très réellement que c'était le chien.

Il courut jusqu'à la maison, y entra tout haletant de peur.

– Qu'as-tu, mon fils ? demanda son père.

– Sur la foi que je dois à ma mère, Estula vient de me parler !

– Qui ? Notre chien ?

– Oui, par la foi ! Si vous ne voulez pas me croire, appelez-le tout de suite et vous l'entendrez parler !

L'homme se précipite pour voir cette merveille[1] : son chien qui parle ! Il l'appelle :

– Estula !

Le frère qui achevait de s'emparer du mouton – et qui croyait toujours que l'autre, du jardin, l'appelait, répondit à nouveau, avec un peu d'impatience :

– Mais oui, enfin, je suis là !

Le voisin reste ébahi :

– Par tous les saints et toutes les saintes, mon fils, jamais je n'ai assisté à pareille merveille. Va vite conter ce miracle au prêtre, ramène-le et dis-lui d'apporter l'étole et l'eau bénite[2] pour exorciser[3] notre chien !

Le garçon se hâte au plus vite et arrive au presbytère. Sans traîner à l'entrée, il court au prêtre :

---

1. Merveille, *n. f.* : prodige, chose extraordinaire, inexplicable.

2. L'étole et l'eau bénite : bande d'étoffe et eau qui a reçu la bénédiction du prêtre ; elles sont utilisées lors de certaines cérémonies, comme l'exorcisation.

3. Exorciser, *v. tr.* : chasser les démons qui ont pris possession du corps d'un être vivant ou d'un objet.

– Venez vite, messire, il y a grande merveille à la maison. Jamais vous n'en avez vu de pareille. Mettez l'étole à votre cou et suivez-moi !

– Tu es complètement fou ! s'écrie le prêtre. Me faire sortir à cette heure de la nuit ! Vois, je suis nu-pieds, je ne peux y aller !

– Qu'à cela ne tienne, fait l'autre. Je vous porterai.

Le prêtre céda – il était intrigué –, prit son étole, monta sans plus de paroles sur les épaules du jeune homme et les voilà partis.

Arrivé près de chez lui, le garçon, voulant couper court car le prêtre était gros et lourd, prit le sentier qui menait droit à la maison, par-derrière et par le jardin.

Le frère qui cueillait les choux vit le prêtre, vêtu de blanc, posé comme un paquet sur les épaules de quelqu'un qu'il crut être son frère et demanda, tout joyeux :

– Apportes-tu quelque chose ?

– Ma foi, oui, fait le garçon, croyant que son père venait de lui parler.

– Vite ! Jette-le par terre. Mon couteau est bien aiguisé, je l'ai fait repasser hier à la forge : je m'en vais lui couper la gorge !

Car il pensait à un mouton ! Mais le prêtre, affolé, sauta à terre et, persuadé qu'il avait affaire à des fous, s'enfuit jambes au cou ! Au passage son surplis blanc resta accroché à un pieu mais il n'osa pas s'arrêter pour le décrocher.

Celui qui avait cueilli les choux ne fut pas moins ébahi que celui qui s'enfuyait à cause de lui : il ne comprenait rien à ce qui se passait !

Et moins encore le fils de la maison qui rentra prévenir son père de l'étrange aventure du chien qui menaçait, du curé qui fuyait…

À ce moment le frère qui était dans l'étable sortit, portant le mouton sur son dos. L'autre chargea son sac de choux et, sans trop éclaircir l'affaire, ils préférèrent rentrer chez eux.

Ce qui, de leur part, était sage, car volerie
peut souvent mal tourner…

Sa femme croqua un bout de peau rôtie car elle était très gourmande.

LE DIT DES PERDRIX

U N homme, par aventure[1], prit deux perdrix près de la haie bordant son champ. Il les
prépara avec soin et chargea sa femme de les
faire cuire : elle s'en tirait d'ordinaire fort
bien.

Elle alluma donc le feu et disposa la broche
tandis que son mari s'en allait inviter le prêtre
du village à venir déguster avec lui les perdrix.

---

1. Par aventure : par hasard, par chance.

Il s'attarda, tant et si bien que les perdrix furent cuites avant qu'il ne soit rentré.

Sa femme sortit la broche du feu, croqua un bout de peau rôtie car elle était très gourmande et préférait goûter tout de suite aux biens que Dieu lui donnait plutôt que d'attendre et de les conserver !

Le bout de peau l'ayant mise en appétit, elle entama une des perdrix, mangea une aile puis l'autre, alla au milieu du chemin voir si son mari revenait, ne vit personne, s'en retourna vite chez elle et mangea ce qui restait de la perdrix. « Car, se disait-elle, ne serait-ce pas un crime que d'en laisser un seul morceau à présent que j'ai commencé ? »

Restait l'autre perdrix. Elle l'aurait volontiers mangée aussi. Qui l'en blâmerait si elle accusait ensuite les chats de les lui avoir arrachées des mains et emportées ?

Elle alla de nouveau guetter son mari qui ne venait toujours pas. Et sa langue à elle frétillait à l'idée de la perdrix restée au coin du feu. Elle devenait enragée à la pensée de n'en pas détacher juste un petit bout !

Ce fut d'abord le cou qu'elle mangea avec délices, se léchant les doigts de plaisir...

– À présent, dit-elle, que faire ? Si je mange tout, que dirai-je ? Mais comment laisser le reste ? J'en ai tellement envie ! Ma foi, tant pis, il arrivera ce qu'il arrivera, je la mange toute !

À peine avait-elle achevé la seconde perdrix que son mari rentre au logis.

– Alors, fait-il, ces perdrix sont cuites ?

– Seigneur, gémit sa femme, quelle catastrophe ! Le chat les a mangées !

– Mangées ! crie le mari et il bondit comme un furieux sur sa femme, tout prêt à lui arracher les yeux. Prise de peur, elle dit vite :

– C'est pour rire ! Pour rire je te dis. Elles sont là, bien au chaud, couvertes !

– J'aime mieux ça, dit le mari. Tu en aurais vu de belles autrement ! Allez, sors mon verre à boire et ma plus belle nappe blanche.

– Si je mange tout, que dirai-je ?

Je l'étendrai dans ce pré, sous la treille[1].

– Prends donc aussi ton couteau. Il a besoin d'être aiguisé. Fais-le couper un peu sur la pierre dans la cour.

Le mari se défait de son manteau et s'en va, le couteau nu à la main.

À ce moment paraît le chapelain[2] qui venait manger, invité par le mari. Il salue la femme, qui lui dit tout bas :

– Fuyez ! Fuyez ! Je ne veux pas qu'il vous arrive malheur. Mon mari est là, dehors, en train d'aiguiser son grand couteau. Il dit qu'il veut vous couper les oreilles s'il vous attrape !

– Que dis-tu là ! s'écrie le prêtre, stupéfait. Il vient de m'inviter à manger deux perdrix qu'il a prises ce matin !

– Mais, par saint Martin, il n'y a ici ni perdrix ni oiseau ! Il vous a trompé, il veut votre malheur.

---

1. Treille, *n. f.* : tonnelle, sorte de grille où grimpe la vigne.
2. Chapelain, *n. m.* : prêtre dans une chapelle.

– Je le vois ! dit le chapelain, et je crois bien que tu dis vrai !

Et sans attendre davantage, le voilà qui s'enfuit. Aussitôt la femme appelle son mari à grands cris :

– Viens vite, Gombault !

– Eh bien, qu'y a-t-il ?

– Ce qu'il y a ? Tu le sauras bien assez tôt ! Il va te falloir courir vite ou tu y perdras ! Le prêtre a emporté les perdrix !

Le mari, saisi de colère, le couteau toujours en main, court après le chapelain. Quand il le voit, il lui crie :

– Vous ne les emporterez pas ainsi ! Vous ne les mangerez pas sans moi, toutes chaudes ! Ce serait une vilaine action !

Le prêtre se retourne, voit l'homme, son couteau à la main. Il se croit mort si l'autre l'attrape. Il détale sans hésiter. Le vilain[1] continue la poursuite, espérant reprendre ses perdrix !

---

1. Vilain, *n. m.* : au Moyen Âge, paysan libre.

Hélas pour lui, le prêtre en toute hâte s'est enfermé dans sa maison.

… Cette fable prouve que la femme est faite pour tromper : d'un mensonge elle fait une vérité et d'une vérité mensonge !

III

LES TROIS AVEUGLES DE COMPIÈGNE

U N jour, sur la route allant de Compiègne à Senlis, cheminaient trois aveugles fort pauvrement vêtus et que nul ne guidait.

Or, sur la même route chevauchait un clerc [1] venu de Paris en riche équipage : cheval superbe et écuyer [2]. L'entendant s'approcher, les aveugles, d'eux-mêmes, s'écartèrent de son chemin. Le clerc s'en étonna : eux qui ne

---

1. Clerc, *n. m.* : personne instruite, cultivée.

2. Écuyer, *n. m.* : gentilhomme au service d'un chevalier.

voyaient rien et que personne n'accompagnait !

Ce clerc était gai, amateur plus qu'un autre de tours qui mystifient et comme les aveugles, tendant la main, lui demandaient tous ensemble l'aumône :

– Voici une pistole !

– Tenez ! fit-il d'une voix forte. Voici une pistole[1] ! Ce sera pour vous trois !

Cela, bien entendu, sans même ouvrir sa bourse ! Mais chacun des aveugles crut que son compagnon avait reçu l'argent. Tous trois se répandirent en remerciements et décidèrent de retourner à Compiègne pour y festoyer grâce à cette aubaine[2].

Le clerc avait fait mine de s'éloigner mais ne les perdait pas de vue. Il tourna bride[3] à son tour et les suivit.

---

1. Pistole, *n. f.* : monnaie de valeur importante valant dix livres, deux cents sols et deux mille quatre cents deniers.

2. Aubaine, *n. f.* : chance, occasion.

3. Tourner bride, *loc. v.* : faire faire demi-tour à son cheval en tirant sur sa bride.

Une fois en ville, ils passèrent devant une auberge dont l'hôte, sur le seuil, vantait le bon vin, le pain frais et la viande prête à rôtir. Les trois aveugles entrèrent sans hésiter. Le clerc fit de même.

– Holà ! Quelqu'un ! Vite ! crièrent les aveugles. Qu'on nous donne une bonne chambre et qu'on prépare un bon souper ! N'ayez crainte ! Vous serez payé ! Car si nos habits sont râpés, nos bourses sont bien garnies !

– N'ayez crainte ! Vous serez payé !

L'hôte s'empressa de les servir, pensant par-devers lui que le monde était fait de bien étranges gens. Avait-on jamais vu des seigneurs jouant aux mendiants ! Le proverbe avait toutefois raison : l'habit ne faisait pas le moine !

Voilà nos trois aveugles dans la meilleure chambre : bon feu, bons vins, pâtés, chapons… Bref, ils menèrent joyeuse vie jusqu'à presque minuit. Puis ils se couchèrent dans des lits moelleux, repus comme des chevaliers !

Le clerc, de son côté, soupa et dormit dans la même auberge.

Le lendemain matin, l'hôte, quand même un peu inquiet après avoir fait ses comptes, présenta sa note aux trois aveugles dès qu'ils furent réveillés.

– Cela fera dix sols, mes seigneurs.

– Fort bien, dirent-ils. Cela nous semble juste. Nous vous payons avec une pistole. Vous nous rendrez le surplus.

– Certes, dit l'hôte, en s'inclinant à la mention de la pistole.

Encore fallait-il la trouver ! Nos trois hommes de s'interroger :

– C'est toi qui l'as ?

– Jamais ! C'est toi ! Ou toi ?

– Ou plutôt toi ! Tu étais devant !

Ils commencent à se disputer :

– Donne-la !

– Mais puisque je ne l'ai pas !

– Alors qui l'a ?

– Je ne sais pas !

– C'est toi
qui l'as ?
– Jamais !
C'est toi !
Ou toi ?

Etc.

L'hôte est inquiet, se croit berné[1] et s'en va chercher un bâton :

– Je vais vous apprendre, gredins !

Il commence à taper – et fort ! Le clerc apparaît alors. Il aimait bien jouer des tours mais il n'était pas méchant homme et il arrête l'hôtelier :

– Laissez ces pauvres gens en paix ! Je vais vous régler ce qu'ils doivent !

L'hôtelier lâche son bâton. Les trois aveugles s'esquivent. Le clerc demande :

– Combien vous dois-je ?

– Dix sols pour eux et cinq pour vous, messire.

– Donc quinze sols, dit le clerc en réfléchissant. Vous connaissez sans doute l'abbé[2] du monastère dont la cloche sonne en ce mo-

---

1. Berner, *v. tr.* : tromper.

2. Abbé, *n. m.* : prêtre dirigeant un monastère d'hommes appelé abbaye.

ment. Lui feriez-vous crédit de quinze sols ?

L'hôtelier de rire :

– Certes oui !

– Eh bien, allons ensemble au monastère. L'abbé vous paiera car je le connais aussi.

Le clerc ne l'avait jamais vu. C'était un tour de plus qu'il venait d'imaginer ! Et quel tour !

Il fait préparer ses bagages, monte à cheval et, suivi de son écuyer, il se rend au monastère, escorté de notre hôtelier tout confiant.

Une fois entrés, le clerc fait asseoir l'hôtelier dans le chœur, chuchote :

– Je ne puis entendre toute la messe mais je m'en vais de ce pas dire au prêtre qu'il vous compte vos quinze sols dès que l'office sera terminé.

Toujours aussi confiant, l'hôte accepte.

Le clerc s'en va vivement trouver l'abbé qui s'apprêtait à servir la messe.

– Messire abbé, dit-il en s'inclinant et en tirant douze deniers, je vous ai amené un brave homme chez qui j'ai logé hier soir, c'est maître Nicolas, l'hôtelier. Il divague et paraît avoir perdu l'esprit ce matin, tout soudain. Je vous prie, après la messe, de lui lire un évangile sur la tête pour le guérir.

– Comptez sur moi, dit l'abbé qui empoche les deniers.

Il s'en va vers l'hôtelier et lui murmure :

– Je le ferai sitôt la messe dite.

Le clerc les quitte, bien amusé du nouveau tour qu'il a joué !

La messe dite, le prêtre appelle l'hôtelier :

– Sire Nicolas, agenouillez-vous, je vous prie.

– Pourquoi cette cérémonie ? fait l'homme bien étonné. Payez-moi plutôt mes quinze sols !

« Il est vraiment fou, pense l'abbé, essayons de guérir son âme ! » Et, prenant l'évangile, il le présente à l'hôtelier :

– Songez à Dieu qui, seul, peut vous garder de toute mauvaise aventure !

« Il me prend pour un insensé », se dit de

son côté l'hôtelier, que la colère gagne. Il se met à crier :

– Gardez votre évangile et payez-moi car j'ai fort à faire chez moi et j'ai perdu assez de temps !

L'abbé d'appeler aussitôt tous ses paroissiens. L'un tient le bras de l'hôtelier, l'autre la main, qui le cou et qui l'épaule. Il se débat en vain. L'abbé lui place son évangile sur la tête et, l'étole au cou, le lui lit en entier, puis il l'asperge d'eau bénite et, enfin, il le laisse aller.

L'hôtelier rentra au logis très en colère et plus encore honteux, jurant, mais un peu tard, qu'on ne l'y prendrait plus !

*Le jeune
homme tomba
fort amoureux
de la fille
d'un chevalier.*

LES CONTES
MORAUX OU ÉDIFIANTS

2

I

LA HOUSSE PARTIE

OU

LA COUVERTURE PARTAGÉE

Un riche bourgeois avait un fils qu'il aimait plus que tout car il était veuf et c'était son unique enfant.

Lorsque arriva, pour lui, le temps de se marier, le jeune homme tomba fort amoureux de la fille d'un chevalier qui était leur voisine. Mais le chevalier s'étant révélé plus habile à manier les armes qu'à gérer son bien, il s'était peu à peu ruiné.

Comme la fille était jolie, qu'elle semblait aimable et que son fils y tenait tellement, le bourgeois se dit qu'il était assez riche pour entretenir deux ménages[1].

Il alla donc trouver le chevalier et lui fit sa demande.

Le chevalier réfléchit un moment puis l'interrogea sur le montant de sa fortune.

– J'ai, répondit honnêtement le bourgeois, à cette heure mille cinq cents livres[2] en marchandises et biens divers et je compte en donner la moitié à mon fils.

Le chevalier hocha la tête :

– Vous comptez... vous comptez... mais ce n'est point fait ! Supposez que l'idée vous vienne de vous faire moine blanc ou templier[3], c'est à l'abbaye ou au Temple qu'alors vous

---

1. Ménage, *n. m.* : famille.

2. Livre, *n. f.* : monnaie.

3. Moine blanc ou templier : religieux chrétien vivant à l'écart du monde, dans une communauté dont il suit les règles. Les moines blancs et les templiers observaient des règles différentes.

laisseriez tous vos biens. Votre fils et ma fille n'auraient plus rien ! Je ne puis l'exposer à pareille mésaventure, et ne vous l'accorde pas !

– Que souhaitez-vous donc me voir faire ? demanda le bourgeois qui ne voulait pas rompre la négociation.

– Ce que je veux, dit le chevalier, c'est que vous donniez à votre fils tout ce que vous possédez. Alors, là, je serai tranquille et consentirai à ce mariage de bon cœur.

La proposition n'enchantait pas le bourgeois mais il aimait son fils, se savait payé de retour – ou du moins le croyait ! – et il accepta le marché. Il lui donna tous ses biens, ne gardant pour lui pas même de quoi se nourrir une journée.

Le mariage eut lieu et le bourgeois s'en alla vivre chez son fils et chez sa bru.

Ils eurent bientôt un garçon aussi sage que beau, aussi plein d'affection pour son aïeul que pour ses parents.

Douze années s'écoulèrent.

Le bourgeois était devenu un vieil homme qui ne pouvait marcher sans s'aider d'un bâton. La femme de son fils avait toujours été fière de sa naissance noble et avait toujours méprisé son beau-père parce qu'il n'était qu'un marchand. Tout empira avec les ans. Et comme elle avait le cœur sec et qu'elle était peu portée aux largesses, elle commença à se plaindre à son mari de ce que coûtait le vieillard, de ce qu'il mangeait trop, qu'il fallait le vêtir, le soigner... Bref, vint le jour où elle déclara tout net :

– Je ne peux plus vivre sous le même toit que lui. J'en perds le manger, le sommeil, et, par Dieu, j'en perdrai la vie. Si vous m'aimez, faites partir de chez nous votre père !

Le mari était faible, craignait sa femme et finit par se résoudre à faire ce qu'elle lui demandait.

Il alla trouver son père et, forçant le ton pour masquer sa gêne :

– Père, allez-vous-en !

– Père, dit-il, allez-vous-en ! Nous n'avons que faire de vous ! Depuis plus de douze ans vous mangez notre pain. Allez désormais vous loger où vous voudrez mais plus ici !

Le vieillard écoutait son fils sans y croire.

– Comment ! s'écria-t-il. Après que je t'ai tout donné, tu me jetterais hors de ta maison ? Faut-il que je regrette le jour où tu naquis ?

Et il lui vint aux yeux des larmes amères. Mais le fils ne voulait rien entendre. Le vieillard, alors, se mit à le supplier :

– Il me faut peu de place. Je me passerai de feu, de courtepointe[1], de tapis mais ne me laisse pas à ta porte ! Fais-moi mettre sous l'appentis[2] quelques bottes de paille. Il me reste si peu de temps à vivre...

– À quoi bon tant parler ? répliqua le fils. Partez et faites vite, sinon ma femme deviendra folle !

---

1. Courtepointe, *n. f.* : couverture.

2. Appentis, *n. m.* : petit bâtiment adossé à un grand et servant de remise.

– Et où veux-tu que j'aille ? Je n'ai pas un sou vaillant !

– Vous trouverez bien quelque ami qui vous prêtera son logis !

– Un ami ! dit amèrement le vieillard. Qu'ai-je à attendre d'un étranger quand mon propre enfant m'a chassé !

– Père, dit le fils que la honte commençait à gagner, croyez-moi, je ne fais pas en ceci ma volonté. Je n'en puis mais !

Le père, alors, se résigna et, malgré sa faiblesse, il se leva pour quitter la maison.

Parvenu sur le seuil, il dit à son fils :

– Je pars puisque tu le veux mais au moins donne-moi un bout de couverture pour me protéger du froid. N'importe laquelle, même celle de tes chevaux !

Le fils ne pouvait refuser cette demande et appela son propre enfant.

– Va à l'écurie, dit-il, et ramène la couverture de mon cheval noir. C'est la meilleure, tu la donneras à ton grand-père.

– Au moins donne-moi un bout de couverture...

Le jeune garçon, qui avait tout entendu de la conversation, dit au vieillard :

– Venez avec moi, grand-père.

Une fois dans l'écurie, il prit la couverture que son père lui avait désignée. C'était la plus neuve. Elle était longue et large. Il la doubla par le milieu et la partagea avec son couteau. Puis il en donna la moitié à son grand-père.

– Pourquoi l'as-tu coupée ? dit le vieillard. Ton père t'avait ordonné de me la donner entière. (Et se tournant vers le fils qui arrivait :) Vois comme ton enfant ne te craint ni ne t'obéit ! Il garde la moitié de la couverture !

– Donne-la-lui toute ! fit le fils en colère.

– Et que vous donnerai-je, à vous, mon père, quand viendra votre tour ? répondit le jeune garçon, quand vous m'aurez tout donné et que je vous chasserai comme vous le chassez ce jour ! Vous n'emporterez de moi qu'autant que vous lui aurez donné et, si vous le laissez mourir de misère, j'en ferai autant pour vous !

Le fils baissa la tête. Il avait compris la leçon. Il se tourna vers son père :

– Restez, dit-il. Le diable m'avait égaré et je m'en repens. Jusqu'à la fin de vos jours, vous serez ici chez vous.

*Un jongleur,
lassé de la vie
errante
qu'il menait,
se retira dans
un couvent.*

II

LE JONGLEUR DE NOTRE-DAME

U N jongleur, lassé de la vie errante qu'il menait, se retira, un beau matin, dans un couvent[1].

Au début, il fut tout heureux de ne plus avoir à courir les chemins pour aller d'un château à l'autre, d'une place de foire à un parvis d'église, de ne plus avoir à divertir les gens par ses tours et à quêter près d'eux quelques sous pour vivre !

---

1. Couvent, *n. m.* : maison dans laquelle des religieux ou des religieuses vivent en commun.

Mais ce temps de bonheur fut bref car il s'aperçut vite qu'il ne pouvait, sur aucun point, partager la vie des moines : ni leurs travaux, ni leurs prières.

Comment aurait-il pu copier, comme eux, des livres anciens et savants, enluminer d'or, d'azur et de pourpre des évangéliaires et des psautiers [1] ? Il ne savait ni lire ni écrire et peindre encore moins.

Quant à participer au service divin, tous les mots latins étaient pour lui autant d'hébreu dont il ignorait l'usage et le sens. Il s'essaya à psalmodier, renonça vite : il avait toujours chanté faux !

Alors l'inquiétude le gagna. Il pensa : « Je ne sers à rien, je suis ici comme un bœuf à l'attache, juste bon à brouter et à manger sa nourriture ! Quand les moines s'en apercevront, ils me chasseront ! »

---

1. Évangéliaire et psautier, *n. m.* : livre de prières et de chants religieux.

Et l'angoisse le tenaillait. Or, il avait pris l'habitude de se rendre chaque jour, seul, dans la crypte sous la chapelle du couvent pour y contempler une statue de la Vierge qu'il aimait particulièrement. Il la trouvait belle, avec un visage doux et un sourire empli de tendresse.

Un matin, comme sonnait la messe et qu'il regardait la statue avec un désespoir plus grand qu'à l'ordinaire, une idée lui vint : pourquoi ne ferait-il pas, en guise de prière, la seule chose qu'on lui eût apprise ? Sauter, danser, exécuter des tours... Ce seraient ses chants à lui, ses mots latins, ses psaumes.

Une idée lui vint.

Il ôta sa cape et le plus gros de ses habits, ne gardant sur lui qu'un mince justaucorps pour ne pas gêner son élan.

Puis il salua la statue ainsi qu'il le faisait pour les dames dans les salles de fêtes des châteaux et il dit :

– Douce Reine, je ne sais ni chanter ni lire et ne peux vous offrir que mes tours. Ne les

dédaignez pas, Dame qui n'êtes pas amère
envers qui vous sert justement. Tout ce que je
vais faire sera pour vous.

Et il commence des sauts, de haut, de bas,
petits et grands. Il s'agenouille, s'incline,
saute à nouveau, fait les grands tours les plus
fameux, celui de Metz autour de sa tête, le
tour français, le champenois, le tour
d'Espagne, ceux qu'on fait en Bretagne, le
tour de Lorraine et le tour romain... Il danse
avec grâce, met devant son front sa main et,
regardant très humblement l'image de la
mère de Dieu :

– Dame, dit-il, voici maintenant le plus
beau tour. Si je le fais c'est pour vous seule
qui êtes la perfection embellissant le monde.
Pour votre joie, non pour la mienne.

Il met les pieds en l'air, sur ses deux mains,
va, vient, danse et ses yeux pleurent.

Il danse à en perdre le souffle, jusqu'à
l'épuisement. Il est enfin heureux de nouveau
et tous les jours il vient dans la crypte, face à

*Il met les
pieds en l'air,
sur ses deux
mains, va,
vient, danse.*

la statue, refaire ses acrobaties. Ce sont désormais ses prières.

Mais voilà qu'un moine, entrant par hasard dans la crypte, surprend le jongleur dans ses sauts et ses tours. Il en reste ébahi, court prévenir l'abbé de ce qu'il juge un sacrilège !

L'abbé le suit jusqu'à la crypte. Là, tous deux regardent, cachés, le jongleur exécuter ses tours. À la fin, il tombe d'épuisement, il est à terre, couvert de sueur, il halète.

Alors, sous les yeux stupéfaits de l'abbé et du moine, descend de la voûte une Dame plus brillante et plus richement vêtue d'or et de pierreries qu'ils n'en ont jamais vue. Les anges du ciel l'entourent et viennent soutenir le jongleur dont le cœur se calme tandis que la noble Reine, d'une étoffe blanche, doucement, devant l'autel, évente son cou, son corps, son visage pour le rafraîchir et le réconforter.

L'abbé fait signe au moine et tous deux se retirent sans bruit, émerveillés d'avoir assisté au miracle. Une prière si naïve, tant de foi, tant d'humilité ont touché le cœur de la Vierge et aussi celui de l'abbé.

Il n'est plus question de punir le jongleur du tour un peu païen qu'avait revêtu sa prière ! Tout le contraire, on l'entoure, on le félicite, on l'admire.

Et quand il meurt, à quelque temps de là, c'est au milieu de tous les moines. Et la Vierge à nouveau descend, escortée de ses anges, pour emporter au paradis l'âme de SON jongleur.

La littérature satirique

Renard,
à l'abri
de la haie,
fait le guet.

LE ROMAN DE RENARD

I

RENARD ET LES MARCHANDS DE POISSONS

Au temps où l'été s'achève et où l'hiver approche, Renard se tient affamé dans sa maison de Maupertuis. Ses provisions épuisées, où se procurer à manger ? Il lui faut sortir de chez lui !

Il se glisse sans bruit parmi les joncs, entre bois et rivière, jusqu'à un chemin qui semble fréquenté. Hélas, personne en vue ! Renard se cache à l'abri de la haie et fait le guet. Voici qu'arrivent à vive allure des marchands de poissons qui viennent de la mer, portant quantité de bons harengs bien frais car, toute la semaine, le vent qu'il faut a bien soufflé. Leur charrette contient aussi beaucoup de lamproies et d'anguilles achetées aux villages où ils étaient passés.

Renard, qui sait tromper son monde, file sans se montrer pour prendre les devants et berner les marchands sans qu'ils s'en aperçoivent.

Voyez la ruse qu'il emploie : après s'être roulé dans l'herbe, il s'allonge au milieu du chemin et là, il fait le mort : yeux fermés,

gueule entrouverte, il prend bien soin de ne pas respirer.

Arrivent les marchands, ne se doutant de rien. Le premier qui le voit crie à son compagnon :

– Regarde ! Un renard ! Ou peut-être un chien !

– Un renard, oui ! fait l'autre accourant. Attrape-le et fais bien attention qu'il ne t'échappe pas !

Tous deux se précipitent, tournent et retournent Renard qui se laisse tâter l'échine et la gorge, toujours contrefaisant le mort.

En même temps ils s'interrogent :

– Combien crois-tu qu'il vaut ? Quatre sous ?

– Au moins cinq ! Et encore ce n'est pas cher ! Vois comme sa gorge est blanche ! Jetons-le dans la charrette !

Ce qu'ils font ; et ils repartent, tout joyeux à l'idée de la bonne affaire qui vient de leur tomber du ciel !

Couché sur les paniers, Renard en ouvre un de ses dents et en tire trente harengs qu'il mange presque tous sans se soucier d'assaisonnement – ni sel, ni sauge[1] !

Le voilà rassasié mais il pense à Hermeline, sa jeune et noble épouse, et à ses deux fils, tous restés au logis et également affamés.

Il s'attaque à l'autre panier, en tire trois beaux colliers d'anguilles attachées par le museau. Il y enfile la tête et le cou, arrange le tout sur son dos et maintenant, il faut descendre de la charrette sans se faire prendre ! Il n'y a ni marche-

---

1. Sauge, *n. f.* : plante aromatique.

pied ni planche ! Ma foi, tant pis : il se met à genoux, avance un petit peu et, des deux pattes de devant, s'élance. Il saute, retombe au milieu du chemin, les anguilles toujours au cou. Il crie, moqueur, aux marchands :

– Dieu vous garde ! À moi ces anguilles, à vous le reste !

Les marchands ébahis se regardent, sautent sur leur charrette, voient les paniers ouverts, le goupil[1] qui s'enfuit.

– Ah, scélérat, traître ! Comment avons-nous pu nous fier à toi ! Sommes-nous stupides !

Ils courent sur le chemin, espérant rattraper Renard mais il est trop rapide. Il gagne sans mal son logis où sa femme et ses fils lui font fête – et aux anguilles encore plus ! – tandis que les marchands s'en retournent à leur charrette en se traitant de sottes bêtes !

---

1. Goupil, *n. m.* : ancien nom du renard.

Isengrin,
sans méfiance,
s'assoit
sur la glace,
la queue et le
seau plongés
dans l'eau.

II

LA PÊCHE D'ISENGRIN

C'ÉTAIT un peu avant Noël, au temps où l'on fait, dans les maisons, les salaisons[1], par une nuit claire et étoilée. Il a tant gelé que la glace couvre l'étang sur lequel on pourrait danser sans redouter aucun danger !

Les villageois y ont creusé un trou sur un côté pour y faire boire leurs bêtes et ils ont laissé, tout près de là, un seau.

---

1. Salaison, *n. f.* : denrée alimentaire (viande, poisson) conservée dans du sel.

Le loup Isengrin regarde l'étang, se demandant comment pêcher dedans. Renard l'observe et le rejoint.

– Il semble, fait-il d'un ton aimable, que vous cherchez un endroit où pêcher ? Vous ne pouvez trouver meilleure place ! Les poissons abondent, je vous le garantis, des anguilles et des barbeaux et quantité d'autres aussi bons que beaux.

Il ajoute, en désignant le seau :

– Tenez, voici ce qui nous sert à pêcher. Attachez-le à votre queue et plongez-le dans l'eau.

– Je ne puis, dit Isengrin le loup. Attachez-le-moi, je vous prie.

Renard l'attache. Isengrin, sans méfiance, s'assoit sur la glace, la queue et le seau plongés dans l'eau.

– Surtout ne bougez pas.

– Surtout ne bougez pas, recommande Renard, sinon les poissons s'enfuiront.

Et il va s'installer à l'abri d'un buisson, museau entre les pattes, pour mieux voir ce qui va venir.

Isengrin demeure immobile sur la glace qui, lentement, se reforme autour du seau, puis de la queue. Les voilà scellés par le gel !

Quand Isengrin veut se lever, il a beau tirer de droite et de gauche, se démener de cent façons pour ramener le seau à lui, il ne peut le bouger – ni le seau, ni la queue !

Or l'aube commence à poindre et pas moyen de se cacher ! Il prend peur, appelle Renard à grands cris. Renard lève la tête, ouvre un œil, scrute le ciel !

– Avez-vous assez de poissons ?

– Il est, en effet, grand temps de partir. Avez-vous assez de poissons ?

– Bien trop, dit Isengrin. J'en ai en si grand nombre que je ne parviens pas à les sortir de là !

– Hé, compère, fait Renard en riant, il arrive parfois qu'à trop vouloir embrasser[1], on ne tienne rien !

Cependant la nuit s'achève, le soleil se lève

---

1. Embrasser, *v. tr.* : ici, prendre dans ses bras.

sur des chemins blancs de neige. Et messire Constant des Granges, un vavasseur[1] fort aisé qui habite près de l'étang, est debout ainsi que ses gens. Tous sont de la plus belle humeur.

Messire Constant a pris son cor et déjà appelle ses chiens pour la chasse, fait seller son cheval tandis que ses gens, autour de lui, s'interpellent et rient.

En les entendant, Renard prend la fuite, on s'en doute, et se sauve dans sa tanière. Mais Isengrin est pris au piège, lui ! Le voilà redoublant d'efforts pour se libérer. À nouveau, il tire, secoue, manque de s'arracher la peau. Il lui faudra sacrifier sa queue s'il veut pouvoir sortir de là !

Tandis qu'il se débat, arrive au grand trot un valet qui tient en laisse deux lévriers. Il voit Isengrin tout gelé sur place. Il appelle :

– À l'aide ! Au loup ! À l'aide !

Les chasseurs, l'entendant, bondissent hors

---

1. Vavasseur, *n. m.* : arrière-vassal.

de la maison avec leurs chiens, sautent la haie. Sire Constant les suit au grand galop de son cheval. Il crie :

– Vite ! Lâchez les chiens ! Lâchez les chiens ! Vite !

Les valets découplent[1] les chiens. Les braques sautent sur le loup. Isengrin en a le poil tout hérissé !

Le veneur[2] excite les chiens. Isengrin se défend et les mord à pleines dents. Que pouvait-il faire de plus ? Il aimerait bien mieux la paix !

Sire Constant a tiré son épée, il s'apprête à frapper. Il descend de cheval, vient vers le loup, l'attaque par-derrière, frappe mais le coup porte de travers. Sire Constant tombe à la renverse si rudement que sa nuque saigne ! Il se relève à grand-peine et, plein de colère, revient à la charge. La belle bataille ! Il croit

1. Découpler, *v. tr.* : détacher des chiens attachés par deux, pour qu'ils courent après la bête.

2. Veneur, *n. m.* : chef de la chasse.

atteindre Isengrin à la tête mais le coup aboutit ailleurs, l'épée glisse vers la queue et la tranche, à ras, sans erreur !

Isengrin se sent libéré, fait un saut de côté et il s'enfuit, mordant les chiens qui, cent fois, lui attaquent la croupe. Il leur laisse sa queue en gage : son cœur en crèverait de rage !

Il file droit vers le bois, l'atteint enfin, s'arrête et là, il jure qu'il se vengera de Renard…

III

LE PROCÈS DE RENARD

LE roi des animaux, Noble le lion, entouré de sa cour, préside la séance solennelle du tribunal chargé de juger Renard. Il en a trop fait ! Et Isengrin a porté plainte contre le perfide goupil.

Depuis deux grandes heures les discours se succèdent. L'un plaide pour et l'autre contre. Grimbert le blaireau et Bernard l'âne défendent Renard. Brun l'ours et Bruyant le taureau plaident pour Isengrin.

Le roi, lassé de les entendre, va ordonner à

Isengrin de faire la paix avec Renard, quoi qu'il lui en coûte, quand surgit un étrange cortège.

Chanteclerc le coq vient en tête, suivi de dame Pinte la poule qu'escortent trois de ses compagnes : Rousse, Noire et Blanchette. Elles entourent une charrette ornée d'un rideau. À l'intérieur gît une jeune poule qui, selon les apparences, est morte déchiquetée.

Dans le silence qui se fait, Pinte élève la voix :

– Hélas, qui me rendra justice ?

– Voyez, vous tous, si je suis malheureuse ! De mes cinq frères, de mes cinq sœurs, aucun ne reste ! Renard les a tués ! Et celle-ci, la dernière, hier, à la neuvième heure, il l'a fait périr elle aussi ! Ah, que je suis malheureuse ! Que je voudrais ne jamais être née ! Hélas, qui me rendra justice ?

La voilà qui tombe, pâmée[1], et les trois autres poules aussi. L'ours, le blaireau, l'âne,

---

1. Pâmé, *adj.* : évanoui.

le loup se précipitent, leur versent de l'eau sur la tête. Elles reviennent à elles et se jettent aux pieds du roi. Même Chanteclerc s'agenouille devant son trône.

Quand Noble le lion le voit ainsi, il pousse un terrible soupir qui fait frémir de peur toute la cour. Et Couard le lièvre en a la fièvre pour quatre jours !

– Dame Pinte, dit le roi Noble, je partage votre douleur. Ce grand deuil où Renard m'a mis n'est assurément pas le premier. Mais je vais l'envoyer chercher et, de vos yeux, vous pourrez voir quel châtiment il subira ! Je veux réparation complète !

– Je veux réparation complète !

– Sire, dit Isengrin, c'est parler noblement. Vous en serez partout loué. Je ne dis pas cela par haine envers lui mais pour la poule qu'il a tuée.

– Laissons cela pour l'instant, dit le roi. Voyons d'abord à enterrer l'infortunée victime. Brun, mettez cette étole, vous, Bruyant, recommandez cette âme au ciel. En bas, dans ce champ labouré entre le jardin et le pré, qu'on creuse une sépulture[1] !

– Sire, dit Brun, à votre gré.

Il revêt l'étole et la cérémonie commence en présence du roi et de toute sa cour. Tardif le limaçon lit à lui seul les trois leçons[2]. Rouanel le chien chante les versets[3] ainsi que Brodomer le cerf.

Puis ils mettent le corps dans un cercueil de plomb, le plus beau qu'on ait pu trouver. On l'enterre sous un arbre et l'on met par-dessus un marbre sur lequel on a écrit le nom et la vie de la dame. Au burin et avec du sel, on y grave cette épitaphe : « Ci-gît Coupée, la sœur de Pinte, que Renard, de ses dents, tua. »

Quand le corps est bien enterré et que la douleur s'est apaisée :

---

1. Sépulture, *n. f.* : lieu où l'on dépose un mort.
2. Leçon, *n. f.* : texte de la Bible qu'on lit pendant les cérémonies religieuses.
3. Verset, *n. m.* : brève formule récitée ou chantée lors d'une cérémonie religieuse.

– Passons à un autre sujet, dit le roi. Brun, mon ami, allez me chercher ce larron qui nous a si souvent trompés et, sur l'heure, me l'amenez !

– Sire, répond Brun, volontiers.

Il s'en va, le long des champs, d'un pas égal, sans s'arrêter.

En arrivant à Maupertuis, le bon repaire de Renard, Brun ne peut que rester dehors. Trop gros, trop grand pour y entrer ! Donc c'est de la porte qu'il appelle :

– Renard ! Venez, que je vous parle ! Je suis Brun, envoyé du roi, sortez et je vous dirai son message !

Renard l'avait bien reconnu à sa taille et à sa carrure et se doute assez de ce que lui veut le roi ! Il se met à chercher un biais pour se défendre et une ruse pour se défaire de l'ours.

– Brun, fait-il d'un ton hypocrite, beau doux ami, en quelle peine vous a mis celui qui vous envoie ! J'allais me rendre en personne à la cour. Mais auparavant j'ai voulu

manger. Car vous connaissez les façons dont on use là-bas : au riche, on offre bœuf au verjus[1] et tous mets qu'il désire, au pauvre point de feu ni de table ! Aussi ai-je pris mon repas chez moi et à l'avance. J'ai bien mangé, entre autres plats délicieux, pour six deniers de miel nouveau !

– Par le corps de saint Gilles ! s'écrie Brun. Où avez-vous trouvé du miel ? Je n'aime rien tant, vous le savez ! S'il vous plaît, donnez-m'en ou dites-moi où en trouver moi-même !

Renard grimace de plaisir – sa ruse a pris ! – Brun ne voit rien, l'autre le mène par la bride !

– Ce miel que vous aimez, dit Renard, je vous en donnerais volontiers, car il y en a chez Lanfroi le forestier, si je savais pouvoir compter sur votre loyauté !

– Vous méfiez-vous de moi ?

– Oui.

– Et pourquoi ?

1. Verjus, *n. m.* : suc acide extrait de certains raisins.

– Vos trahisons…

– Renard, ce sont des mensonges ! Vous me calomniez !

– Non pas ! Enfin… Je ne vous en veux pas. Venez avec moi !

Le fourbe sait ce qu'il va faire. Brun l'ours le suit sans méfiance.

Ils arrivent au bois du forestier Lanfroi.

Un bûcheron avait fendu un chêne et y avait placé, de bas en haut, deux coins[1] entiers.

– Brun, dit Renard, voici le miel. Les rayons sont là, tout au fond. Plonge la tête, ouvre la gueule et tu y arriveras.

En s'aidant d'un bâton, il redresse les coins qui étaient fichés en bas. Brun met le museau dans le chêne et les deux pattes de devant tandis que Renard tire les coins et les enlève traîtreusement.

La tête et les pattes de Brun se trouvent

---

1. Coin, *n. m.* : instrument de forme triangulaire servant à fendre, à caler.

coincées dans le chêne. Le malheureux est si serré qu'il est près de s'évanouir.

Et voilà qu'arrive – comble de malheur ! – Lanfroi le forestier. Renard décampe. Lanfroi voit l'ours pris au chêne à demi fendu et crie :

– À l'ours !

Les paysans accourent, portant qui une hache et qui une massue, qui un fléau[1], qui un bâton d'épine... Ils sont tous là, Heurtevilain, Giroud, Baudoin, Portecivière et Corberant et Tigerin.

L'ours qui les entend approcher frémit de peur et pense qu'il vaut mieux, pour lui, perdre le museau que d'être pris. Il tire autant qu'il peut, secoue, s'arrache enfin, les pattes déchirées, le museau barbouillé de sang et s'enfuit, poursuivi par les cris des paysans.

Affolé de douleur et de la peur d'être repris, il court au grand galop et regagne l'endroit où

---

1. Fléau, *n. m.* : instrument composé de deux bâtons liés bout à bout par une courroie.

– À l'ours !

le roi tient sa cour. Tous, à sa vue, sont saisis de stupeur.

– Brun, dit le roi, qui t'a fait ça ?

L'ours a perdu tant de sang que c'est à peine s'il peut dire : « Roi, c'est Renard ! » avant de tomber à ses pieds, semi-mort.

Il faut voir alors le lion redresser la tête et rugir de rage et arracher, de fureur, sa crinière :

– Qui t'a fait ça ?

– Par la mort et par les plaies du Christ, Brun, je te vengerai ! Où êtes-vous, Tibert le chat ? Allez chez Renard sur-le-champ et dites au maudit rouquin de venir à ma cour, toute affaire cessante, pour répondre en justice. Et qu'il n'apporte ni or ni argent ni beaux discours pour se défendre, rien que la corde pour le pendre !

Tibert n'ose pas refuser bien qu'il en ait grande envie. Il se met donc en route mais tremble pour sa vie.

Arrivé devant chez Renard, il n'ose entrer en sa maison.

Du dehors, il appelle :

– Renard, cher compagnon, réponds-moi !
Es-tu là-dedans ?

Renard murmure entre ses dents :

– Tibert, vous vous repentirez d'être venu
dans mon domaine !

Et, à voix haute, il le salue :

– Tibert, soyez le bienvenu ! Peu importe
d'où vous venez ! Entrez, entrez, je vous en
prie.

Le beau langage lui coûte peu !

Tibert, à son tour, fait l'aimable :

– Renard, ne vous offensez pas. Je viens
par ordre du roi sans vous haïr, croyez-le
bien ! Mais le roi vous veut à sa cour. Tout le
monde s'y plaint de vous !

– Laissons ce sujet, dit Renard. J'irai sûrement à la cour entendre ce qu'on dit de moi !

– À la bonne heure ! Moi, je vous aime
bien mais il en est qui vous haïssent ! Pour
l'heure, j'ai grande faim. N'auriez-vous pas
de quoi manger ?

– Si fait ! Rats à foison et souris grasses

autant que vous en voudrez ! Si toutefois le mets vous plaît !

– Il me plaît grandement. Où les trouver ?

– Suivez-moi donc ! De ce pas nous y allons.

Tibert le suit sans aucun soupçon de la ruse qui va lui coûter cher !

Ils arrivent au village. Renard s'arrête face à une maison.

– C'est ici même. Je connais le logis. J'y suis allé tout récemment. Il y a force avoine et froment, de là, quantité de souris qui s'en gorgent ! Voilà le trou par lequel j'entre. Passez donc, Tibert, mon ami, et remplissez bien votre panse !

Tout ceci n'était que mensonges ! Le logis ne comptait ni orge ni froment, de souris point davantage, mais dix poules de bonne race y vivaient, dont Renard avait mangé deux. Aussi le maître du logis avait-il placé un lacet dans le trou pour prendre Renard le goupil – ce que Renard n'ignorait pas !

– Allons, dit-il à Tibert hésitant. Passe donc ! Moi, je ferai le guet dehors.

Tibert se glisse dans le trou, le lacet lui enserre le cou. Il tire, secoue en vain, s'étrangle davantage. Impossible de s'échapper.

Le fils de la maison l'entend, s'écrie :

– Levez-vous, levez-vous, mon père ! Ma mère, allumez la chandelle ! Le goupil est venu au trou !

La mère saute du lit, allume la chandelle. Le père fait de même et les voilà tous trois rouant Tibert de coups. Il se défend, griffe le père, le mord cruellement. Voyant couler le sang, sa femme s'évanouit. Et profitant de ce désordre, Tibert parvient à ronger le lacet et réussit à s'échapper.

Renard, lui, s'était en allé au premier cri de « Levez-vous ! » Tranquillement il est rentré chez lui tandis que Tibert le maudit tout en gémissant de douleur des nombreux coups qu'il a reçus.

Il parvient jusqu'au val où siégeaient le roi et sa cour. Et il conte son aventure.

– Dieu ! dit le roi, conseillez-moi ! Ce Renard est un vrai démon ! Grimbert ! Vous êtes son cousin. Contre vous, il n'osera rien. Allez chez lui, ramenez-le et gardez-vous surtout de revenir ici sans lui !

– Je le connais, répond Grimbert le blaireau. Sans lettre portant votre sceau, je ne pourrai le ramener.

– Ce Renard est un vrai démon !

Aussitôt le roi dicte la lettre à Beaucent le sanglier qui la rédige et y appose le sceau du roi.

Grimbert la prend et s'en va. Renard le voit venir, lui fait fête, l'embrasse et l'installe sur deux coussins. Après avoir soupé ensemble, Grimbert lui tend le pli du roi. Il le décachette, il le lit et son museau tremble d'effroi. Le cœur lui bat, son visage, de peur, noircit.

– Grimbert, dit-il, ayez pitié, conseillez-moi ! Je ne veux pas être pendu comme m'en menace le roi !

– Si vous confessez vos péchés et que vous montrez un repentir sincère, peut-être serez-vous absous ! Allons, venez ! Vous n'avez que trop fait attendre le roi !

Renard embrasse ses enfants, dame Hermeline son épouse, leur fait ses recommandations de n'ouvrir la porte à personne. Et le voilà en route avec Grimbert.

À la cour du roi, il n'est bête qui ne l'attende pour l'accabler, d'Isengrin à Tibert le chat.

Renard se défend, tête haute. Il est habile mais le roi se méfie.

Coquin, puant rouquin, scélérat !

– Vous êtes toujours aussi beau parleur et vous mentez toujours très bien mais aujourd'hui, finies vos ruses ! Vous les avez menées trop loin ! Voyez, ici, tous vous accusent, vous traitent de coquin, puant rouquin, scélérat ! Personne ne veut vous défendre. Chacun souhaite vous voir pendu. C'est ce qu'ordonne le conseil.

Renard gémit et tremble. Il se voit pris et

cette fois n'en peut plus rire. Il sera pendu bel et bien. Quelle ruse peut encore le tirer de là ?

Déjà la potence se dresse, le singe lui fait la grimace et lui donne un soufflet[1], l'un le tire, l'autre le pousse. Couard le lièvre lui jette des pierres – mais de loin, sans oser s'approcher !

Renard est pris et lié. On l'entraîne vers la potence.

– Sire, pitié ! Je ne peux mourir ainsi. Il faut que j'expie mes péchés. De grâce, laissez-moi prendre la croix. Je veux me repentir. J'irai en pèlerin jusqu'au-delà des mers.

Le roi est pris de pitié. Grimbert, de son côté, supplie :

– Renard vous reviendra de son pèlerinage pieux et courtois et vous n'aurez alors de meilleur serviteur.

– J'en doute, dit le roi. Il nous reviendra pire ! Car trop souvent, qui bon y part, mau-

---

1. Soufflet, *n. m.* : gifle.

vais revient ! Qu'il prenne la croix, je veux bien, mais à la condition qu'il restera là-bas et que jamais ne reviendra.

Renard promet tout ce qu'on veut – il est sauvé et plein de joie. Il tombe aux pieds du roi puis met la croix sur son épaule droite. On lui apporte l'écharpe et le bâton de pèlerin et il s'en va.

Au premier tournant il jette la croix, au second la pèlerine et le bâton. Son pèlerinage est déjà terminé. Ce n'était qu'une ruse, une de plus mais elle l'a sauvé !

LES CONTES D'AMOUR COURTOIS

AUCASSIN ET NICOLETTE

I

LES AMOUREUX EMPRISONNÉS

É COUTEZ l'étonnante histoire de deux jeunes gens qui s'aimaient...

Il s'appelait Aucassin. Elle se nommait Nicolette. Tous deux étaient blonds, jeunes, beaux et elle avait un teint si clair que les plus blanches marguerites paraissaient brunes à côté. Donc, ils s'aimaient... pour leur malheur !

Car Aucassin était l'unique fils du puissant comte Garin et Nicolette une pauvre captive[1] rachetée aux Sarrasins par le vicomte de Beaucaire qui était le vassal de Garin – ce détail a son importance.

Bien qu'élevée en demoiselle, Nicolette ne possédait rien et le comte Garin était fort mécontent de voir son fils amoureux d'une fille qui, si jolie fût-elle, ne lui apporterait aucun bien[2], lui qui pouvait prétendre à la fille d'un prince, d'un grand baron, même d'un roi !

Il le lui répétait mais Aucassin n'écoutait pas. Il ne pensait qu'à Nicolette au clair visage, son amie. Tant et si bien que le comte Garin finit par se mettre en colère. Aucassin lui répliqua :

– Si vous m'empêchez d'aimer Nicolette, vous ne me verrez plus paraître dans aucun tournoi, ni vous défendre par les armes contre

---

1. Captive, *n. f.* : femme enlevée par les Sarrasins pour être réduite en esclavage et échangée contre une rançon.

2. Aucun bien : au Moyen Âge, le mariage scellait l'alliance de deux familles et chacune comptait les biens que l'autre apportait. Chaque famille espérait ainsi augmenter sa fortune.

vos ennemis. J'irai vivre dans un château où je resterai enfermé.

En entendant cela, Garin, fou de colère, sauta sur son cheval et courut d'une traite chez le vicomte de Beaucaire, son vassal, je l'ai dit, qui lui devait donc obéissance et... ce fut Nicolette que l'on enferma !

On l'emmena en grand secret dans la plus haute chambre de la tour d'un château qu'isolaient des jardins et on ferma la lourde porte. D'abord elle pleura, appelant à grands cris – et en vain – Aucassin son bel ami. Puis elle se résigna mais en jurant par le Christ qu'un jour elle s'échapperait !

– Où est Nicolette, ma tendre amie ?

Le bruit se répandit de sa disparition. Aucassin, très inquiet, s'en vint trouver le vicomte de Beaucaire et l'interrogea :

– Où est Nicolette, ma tendre amie ?

– Ne pensez plus à elle, répondit le vicomte, et épousez plutôt quelque fille de roi car, si vous tentiez de revoir Nicolette, vous la mettriez en grand péril.

Aucassin s'en retourna désespéré au palais de son père pour y pleurer Nicolette qu'il aimait tant.

Or, au même moment, le comte de Valence, qui faisait à Garin une guerre mortelle et ravageait tout le pays, se lançait à l'assaut du château de Beaucaire.

Chevaliers et sergents[1] et jusqu'aux bourgeois de la ville courent pour défendre les murs. La bataille fait rage mais Aucassin ne paraît pas.

Garin le fait chercher et crie :

– C'est ta terre que l'on ravage, ton château qu'on attaque. Défends-les !

– Alors donnez-moi Nicolette.

– Plutôt perdre mes biens !

Et le comte Garin s'éloigne. Aucassin le rappelle :

– Oui, je prendrai les armes et combattrai vos ennemis mais promettez-moi qu'en

---

1. Sergent, *n. m.* : officier de police.

échange, si je reviens sain et sauf du combat,
vous me laisserez revoir Nicolette, ne fût-ce
qu'un instant et pour un seul baiser.

Garin promit et Aucassin revêtit son
armure, prit son épée à poignée d'or, monta
sur son cheval et partit au combat. Il se battit
si rudement que les rangs ennemis pris de
peur s'écartèrent et qu'il fit prisonnier le
comte de Valence. Tout fier, il l'amena
devant Garin son père.

– Voici votre ennemi qui depuis vingt ans
s'acharne contre vous. J'ai tenu ma promesse, tenez votre serment !

Le comte Garin de rire :

– Beau fils, de quel serment s'agit-il donc ?

– Vous m'aviez promis de me laisser revoir
Nicolette.

– Cette promesse-là, je ne la tiendrai pas !

– Un homme de votre âge, manquer à sa
parole ! fit avec tristesse Aucassin qui se
tourna alors vers le comte de Valence :

– Vous êtes mon prisonnier. Je vous libère.

Faites à mon père tous les dommages que vous voudrez !

Le comte Garin comprit alors que jamais Aucassin n'oublierait Nicolette et il l'enferma dans une chambre souterraine aux murs de marbre blanc.

II

L'ÉVASION DE NICOLETTE

CEPENDANT Nicolette, de son côté, demeurait toujours prisonnière dans la plus haute chambre du château isolé. C'était le mois de mai. Les jours étaient chauds et clairs, les nuits calmes et silencieuses hormis le rossignol qui venait chanter au jardin. Nicolette l'écoutait tandis que les rayons de la lune entraient par la fenêtre et elle rêvait à Aucassin. Une de ces nuits-là, comme la vieille femme chargée de la garder dormait, Nicolette se leva, fit une corde avec ses draps, l'attacha à la fenêtre et se laissa glisser jusque dans le jardin. Elle en ouvrit la porte et sortit.

Elle marcha longtemps sous la clarté brillante de la lune qui éclairait ses cheveux blonds. Si longtemps qu'elle arriva près de l'endroit où Aucassin était emprisonné. Elle entendit des sanglots et reconnut sa voix car, dans sa prison, il ne cessait de crier ses regrets d'avoir perdu sa douce amie.

Elle s'approcha et dit avec tendresse :

– Pourquoi vous lamenter ? Je ne serai jamais votre femme car votre père me hait. Mieux vaut que je m'en aille, par-delà la mer, dans un autre pays.

Elle coupa une boucle de ses blonds cheveux et, par une brèche, la fit glisser jusqu'à Aucassin. Il prit la boucle, l'embrassa mais il ne pouvait supporter l'idée qu'elle parte.

– Cette seule pensée me tue, Nicolette. Et si je vous savais la femme d'un autre, je me briserais la tête contre ces murs !

– M'aimez-vous donc autant que vous le dites ? fit-elle tout émue.

Et ils se mirent à parler d'amour. Mais soudain, du haut de la tour proche, le guetteur voit s'avancer des hommes d'armes avec leurs épées nues. Il sait que le comte Garin a donné l'ordre de tuer Nicolette à quiconque la trouvera. Or, il l'a entendue parler et il pense que c'est grand dommage de voir mourir une si jolie fille. Pour la mettre en garde, il improvise une chanson :

– Jolie fillette aux cheveux blonds qui parles à ton ami qui, pour toi, meurt d'amour, prends garde à ceux qui rôdent et te cherchent, leurs épées nues sous leurs manteaux !

Nicolette comprit l'avertissement du guetteur et se cacha dans l'ombre d'un pilier jusqu'à ce que les hommes d'armes se soient éloignés. Puis, avec bien des larmes et des regrets, elle quitta sans bruit Aucassin.

Elle marcha jusqu'à une forêt proche, assez touffue pour s'y cacher mais elle n'osa pas y

Et ils se mirent à parler d'amour.

entrer trop profondément par crainte des loups, des sangliers et d'autres bêtes sauvages qui y abondaient.

Elle se dissimula dans un buisson épais et s'endormit. En s'éveillant, elle vit de petits bergers venus faire paître là leurs troupeaux. Ils mangeaient gaiement, assis auprès d'une fontaine. Elle courut vers eux :

– Connaissez-vous Aucassin, le fils du comte Garin ?

– Oui, nous le connaissons !

– J'ai cinq sous dans ma bourse, dit-elle. Ils sont pour vous. Allez trouver Aucassin et dites-lui de venir chasser dans cette forêt. Il y trouvera une certaine bête plus précieuse pour lui que tous les trésors de la terre. Mais qu'il vienne dans les trois jours, sinon, jamais plus il ne la verra.

– Merci pour les sous, dit le plus hardi des petits bergers. Si Aucassin passe ici, nous lui ferons la commission. Mais aller le chercher, nous ne le pouvons.

C'était mieux que rien ! Nicolette s'en contenta et attendit.

*Il eut envie
d'être seul
et de se
promener
le long
de la forêt.*

III

DANS LA FORÊT

LE comte Garin, apprenant la fuite de Nicolette, la crut perdue et délivra Aucassin de sa prison. Il organisa une grande fête en l'honneur de son fils qu'il estimait sauvé.

Tandis que chevaliers et demoiselles dansaient, Aucassin, accoudé au balcon de pierre de la salle, regardait avec désespoir les jardins. Où était Nicolette, sa tendre amie ? Nulle joie ne serait en son cœur tant qu'il ne l'aurait pas retrouvée !

Il eut soudain envie d'être seul et de se

promener le long de la forêt. Peut-être la vue des feuillages verts et le chant des oiseaux le distrairaient-ils de sa peine ?

Il quitta brusquement la fête, fit seller son cheval et sortit du château.

Il arriva assez vite aux abords de la forêt. Les petits bergers étaient à nouveau auprès de la fontaine et discutaient gaiement de l'emploi qu'ils feraient des sous de Nicolette. Achèteraient-ils des gâteaux ? des couteaux ? des flûtes ? des trompettes ? des pipeaux ?

Aucassin s'avança vers eux.

– Me connaissez-vous, enfants ?

– Bien sûr que oui ! fit le plus hardi. Vous êtes Aucassin, le fils de Garin, notre comte et seigneur ! Justement, une jeune fille très belle, la plus belle sans doute de toute la terre, nous a donné des sous pour vous faire une commission.

Et il transmit à Aucassin le message de Nicolette. Le jeune homme le déchiffra aisément, comprit de quelle chasse il s'agissait et, plein d'espoir, s'enfonça au plus épais de la forêt.

Il la parcourut tout le jour, s'écorchant aux ronces, déchirant ses habits aux épines des buissons et ne trouva pas Nicolette. L'ombre du soir commençait à s'étendre et lui, commençait à désespérer.

La nuit vint, belle et silencieuse, et il continua d'errer à travers les chemins pleins d'herbe. Soudain, à la fourche de sept de ces chemins, il aperçut, aux rayons de la lune, une cabane de feuillages. Nicolette l'avait construite dans l'espoir de voir Aucassin s'y arrêter. Cachée dans un buisson voisin, elle attendait.

Aucassin aperçut la cabane, descendit de cheval et entra. Il s'étendit sur le sol, à même la mousse et l'herbe et, levant les yeux, vit, à travers les feuillages du toit, luire les étoiles. L'une d'elles était si brillante qu'elle lui rappela le clair visage de Nicolette, la lumière de ses cheveux blonds. Il se mit à dire tout haut :

– Petite étoile que je vois, la lune te tire vers soi. Nicolette doit être avec toi pour que la lumière du soir, grâce à elle, soit plus belle...

En l'entendant, Nicolette courut à lui, se jeta dans ses bras. Tous les deux dirent ensemble :

– Enfin, je vous ai trouvé !

Ils ne pouvaient oublier pour autant quels dangers ils couraient encore. Si le comte Garin, en fouillant la forêt, découvrait Nicolette, il la ferait mettre à mort. Il fallait fuir !

Aucassin remonta sur son cheval, prit Nicolette devant lui et ils chevauchèrent longtemps à travers bois et champs, villes et bourgs sans se soucier d'où ils allaient, pourvu qu'ils soient l'un avec l'autre.

IV

LA RUSE DE NICOLETTE

ILS finirent par atteindre le bord de la mer.
Sur le rivage se tenait un bateau prêt au départ.
Les marins acceptèrent de les prendre à leur
bord : ils y montèrent, on hissa les voiles et la
nef[1] les emporta sur les flots. Peu après se leva
une énorme tempête. La violence du vent et
la force des vagues poussèrent le bateau loin
des terres connues…

Enfin tout s'apaisa et ils abordèrent un port

_____

1. Nef, *n. f.* : navire, bateau.

étranger que dominait un grand château du nom de Turelure.

C'était une étrange demeure où l'on vivait à l'envers : la reine faisait la guerre et le roi demeurait couché. Elle maniait l'épée, lui le rouet[1] à filer... Ils n'en semblaient pas étonnés, étaient aimables, gais et accueillants aux étrangers. Aucassin et Nicolette y vécurent heureux trois années.

Mais hélas, un matin, parut sur la mer une flotte de Sarrasins qui investit le château. Il fut pris et tous ses habitants emmenés en captivité.

Aucassin et Nicolette furent embarqués sur des navires différents, que la tempête sépara. Celui qui portait Aucassin erra longtemps avant de finir par arriver près de Beaucaire ! Le comte Garin était mort et les habitants fêtèrent longuement le retour d'Aucassin qui devint à son tour leur comte.

---

1. Rouet, *n. m.* : machine servant à filer la laine, le lin...

Il était certes heureux de retrouver ses terres, ses chevaliers et ses amis mais il ne pouvait se consoler d'avoir perdu Nicolette. Et il disait :

– Si je savais où vous trouver, mon doux amour au clair visage, il n'y a continents ni îles où je n'irais vous chercher !

Or le bateau sur lequel s'était trouvée Nicolette appartenait au roi de Carthage qui, sans qu'elle le sût, était son père. En effet elle avait été enlevée tout enfant par des pirates et ignorait le nom du lieu de sa naissance. Toutefois, en arrivant à Carthage, elle reconnut la ville et le palais où elle avait vécu quinze années auparavant ! Elle n'eut pas de peine à se faire reconnaître du roi qui la fêta et l'entoura d'affection. Quelle joie de retrouver l'enfant qu'il croyait perdue ! Mais elle ne songeait qu'à Aucassin et aux moyens d'aller le rejoindre, où qu'il soit !

Lorsqu'elle sut Aucassin en vie et comte

de Beaucaire, elle décida d'agir. Elle s'enfuit une nuit en emportant la viole dont elle jouait fort bien. Elle passa sur son visage une herbe qui rendit noir son teint si clair et, ainsi méconnaissable, monta à bord d'une barque prête à prendre la mer.

Le voyage dura un long temps mais la barque finit par aborder aux côtes de Provence. Nicolette débarqua avec sa viole et, tout en jouant et chantant le long du chemin, arriva au château d'Aucassin.

Il était assis parmi ses barons, regardait les fleurs et les herbes, écoutait le chant des oiseaux. Il pensait à Nicolette et il était triste.

Quand elle parut, déguisée en jongleur et sa viole à la main, nul ne la reconnut. Aucassin lui fit signe de jouer.

Elle commença à chanter les amours et les aventures d'une belle et de son ami ; aventures si semblables à celles vécues avec Aucassin que ce dernier, intrigué et plein d'espoir, demanda :

*Elle
commença
à chanter
les amours et
les aventures
d'une belle
et de son ami.*

– Ne savez-vous rien de plus sur cette jeune fille ?

– Je sais, répondit le faux jongleur, qu'elle se nomme Nicolette et demeure à Carthage où son père donne de grandes fêtes et voudrait la marier à un puissant roi ; mais elle ne veut épouser personne !

– Et moi, dit Aucassin, radieux, je ne veux épouser qu'elle car elle est la seule femme que j'aime. Si j'avais su où la trouver, elle serait là, près de moi !

– Je peux vous l'amener, dit en souriant le faux jongleur.

Car Nicolette avait son plan ! Elle quitta le château d'Aucassin, s'en fut près de la vicomtesse de Beaucaire qui l'avait élevée – le vicomte était, hélas, mort entre-temps. Là, elle conta son histoire et, ôtant le chaperon d'homme qui tenait ses cheveux, déroula ses nattes blondes. La vicomtesse alors la reconnut et sa joie fut extrême. Elle appela les servantes pour qu'on prépare à Nicolette bain et collation de pain d'amandes et de gâteaux dorés à l'œuf. On frotta son visage avec une herbe qui lui rendit le teint aussi clair qu'avant.

Puis la vicomtesse elle-même la revêtit de vêtements de soie et couvrit ses cheveux d'un voile rebrodé de fleurs et d'oiseaux. Ainsi parée, Nicolette s'assit dans la chambre et attendit la venue d'Aucassin.

La vicomtesse lui avait envoyé un messager pour lui demander de venir sur l'heure au château de Beaucaire : une surprise heureuse l'y attendait !

Il accourut, le cœur plein d'espoir. Mais à la vue de Nicolette, qu'il ne s'attendait pas à trouver si vite, il s'arrêta au seuil de la chambre. Il défaillait de joie trop soudaine. Nicolette alla vers lui et se jeta dans ses bras.

Dès lors leur amour ne connut plus d'heures sombres. Ils s'épousèrent et vécurent de longs jours sans que rien vienne troubler leur bonheur puisqu'ils étaient enfin réunis et qu'ils s'aimaient.

LA LÉGENDE
DE TRISTAN ET ISEULT

TRISTAN ET LE MORHOLT

J AMAIS on ne vit plus beau chevalier, ni plus loyal ni plus courtois que Tristan de Loonois quand il parut à la cour du roi Marc de Cornouaille, son oncle, qui se tenait à Tintagel.

Il se montrait aussi habile à manier l'épée qu'à jouer de la harpe, à se battre qu'à chanter. Si bien qu'en peu de temps, les dames l'admirèrent, les barons l'envièrent et le roi Marc l'aima.

Or, peu après son arrivée, une nef surgit un matin de la mer et un guerrier de taille gigantesque débarqua, suivi de plusieurs compagnons. Il arrivait d'Irlande et se nommait Morholt.

À sa vue, l'épouvante glaça les cœurs et la peur pâlit les visages. Car il venait, au nom du roi d'Irlande, réclamer un tribut[1] redoutable que depuis quinze années le roi Marc refusait de payer. Peut-être eût-il donné l'or et l'argent exigés mais comment accepter de livrer trois cents jeunes gens et trois cents jeunes filles pour qu'ils soient esclaves en Irlande ? Le roi ne pouvait s'y résoudre.

Morholt s'avança donc sous les remparts de Tintagel et dit d'une voix forte et d'un ton plein d'orgueil :

– Roi Marc ! Le roi d'Irlande, mon beau-frère, m'envoie en messager te dire qu'il est prêt à renoncer au tribut que tu lui dois si l'un de tes barons ose me défier en combat singulier et parvient à me vaincre !

---

1. Tribut, *n. m.* : impôt, contribution forcée.

Il se fit un long silence. Même les barons les plus courageux détournaient les yeux et baissaient la tête, tant semblait invincible la force du Morholt. L'affronter eût été folie ! Déjà les mères gémissaient de douleur à la pensée de voir s'en aller, esclaves, leurs enfants. Soudain Tristan s'avança et dit :

– Moi, Morholt, j'ose !

Sous les murs de Tintagel, sur la plage, au bord de la mer, le combat commença.

Depuis les remparts, le roi Marc et les habitants de la ville en suivaient avec angoisse le terrible déroulement. Dix fois Tristan jeté à terre sembla vaincu et dix fois il se releva. L'épieu du Morholt, enfin, perça sa hanche et la pénétra jusqu'à l'os ; on le crut perdu. Mais Tristan, dans une riposte violente, fendit la tête du Morholt d'un si fort coup d'épée qu'elle s'en ébrécha et que le morceau d'acier resta fiché dans le crâne du géant.

Ses compagnons le portèrent sur la nef qui le ramena, mort, en Irlande.

Dans Tintagel en fête, la foule acclama Tristan et le roi Marc le serra sur son cœur mais, bien vite, à la joie succéda la tristesse. La blessure de Tristan ne guérissait pas. En vain les médecins se succédaient à son chevet. Il semblait qu'un poison mortel venu de l'épieu du Morholt pourrissait son sang et son corps sans qu'il y eût aucun remède.

Tristan, se sentant mourir, supplia le roi Marc de le laisser aller au gré des flots dans une barque avec pour seule compagnie sa harpe. Puisqu'il était perdu, qu'au moins il meure en mer.

Le roi Marc hésita longtemps puis accepta, désolé. On installa Tristan comme il le désirait, étendu dans la barque et seul avec sa harpe. Le vent l'éloigna lentement du rivage puis on ne le vit plus.

II

Iseult la Blonde

Combien de jours Tristan dériva-t-il ? On ne sait. Mais un matin la barque aborda un rivage où des pêcheurs étendaient au soleil leurs filets. Ils entendirent, étonnés, les échos du vent dans la harpe et vinrent à la barque. Ils y trouvèrent Tristan à demi mort et le déposèrent sur le sable. Cet étranger leur parut noble et ils prévinrent la reine car on la savait magicienne et habile à guérir, avec ses herbes, toutes sortes de maux.

Or cette reine était celle d'Irlande et la

propre sœur du Morholt. Un étrange hasard avait poussé Tristan vers ce rivage-là – qui était ennemi. Il était cependant si changé par la maladie qu'aucun des compagnons du géant ne pouvait le reconnaître.

La reine le fit porter au palais et le soigna pendant plusieurs semaines avec pour seule aide sa fille, presque encore une enfant. Mais elle était déjà d'une grande beauté et elle avait des cheveux d'un blond si rare, si semblables à des fils d'or fin qu'on l'appelait Iseult la Blonde.

On l'appelait Iseult la Blonde.

Grâce aux soins de la reine et à ses potions d'herbes, peu à peu Tristan se rétablissait. Iseult passait de longues heures à son chevet. Il lui apprenait à jouer de la harpe ; elle, de son côté, chantait souvent pour lui.

Lorsqu'il se vit guéri, il craignit d'être reconnu et, une nuit, embarqua en secret sur une nef marchande dont il avait appris qu'elle partait en Cornouaille.

Il arriva à Tintagel et le roi Marc ne se tint pas de joie en retrouvant vivant son neveu qu'il aimait et qu'il avait tant pleuré. Il résolut en son cœur, étant veuf et dépourvu d'enfants, de prendre Tristan pour héritier et de lui léguer son royaume.

Pareilles intentions n'étaient pas du goût de quelques grands barons jaloux de Tristan et envieux du royaume. Ils commencèrent à harceler le roi pour qu'il se remarie.

Le roi Marc, qui n'en avait nulle envie, se mit à chercher un moyen de leur donner satisfaction sans pour autant dire oui.

Le hasard, un matin, le servit. Deux hirondelles venues de la mer entrèrent soudain dans la salle où se tenait le roi. Elles voletèrent un instant puis repartirent. Mais l'une d'elles avait, au passage, laissé tomber de son bec un long cheveu blond, fin et luisant comme un fil d'or.

Le roi Marc le vit, le prit et dit à ses barons, en souriant avec malice :

– Soit ! Je me rends à vos raisons et accepte de me remarier. Toutefois, je ne veux pour femme que la belle à qui ce cheveu appartient.

Les barons, vexés, baissaient la tête sous le regard moqueur du roi. Il n'était que trop évident qu'on ne retrouverait pas cette femme !

Tristan, lui, regardait le long cheveu blond brillant à la lumière comme un fil d'or fin et il revoyait Iseult dans une autre lumière, celle d'Irlande, et ce même éclat d'or entourant son visage.

– Si je vous la trouvais, roi Marc, que diriez-vous ? fit-il en souriant.

Les barons et le roi le fixaient, stupéfaits.

– Je n'en connais qu'une à qui ce cheveu puisse appartenir, reprit Tristan. Elle se nomme Iseult et elle est digne de régner car elle est fille de roi. Celui d'Irlande.

– Jamais son père n'y consentira, s'écria le roi Marc. Nous sommes ennemis de trop longue date ; je ne veux pas risquer l'affront de voir mon envoyé éconduit[1] !

Un des barons jaloux de Tristan dit alors avec perfidie, en le regardant :

— Si l'envoyé était votre neveu Tristan, peut-être cette Iseult le suivrait-elle ? Elle le connaît, elle l'a soigné. Il est habile… plus que quiconque à votre cour.

— Certes, répliqua le roi. Mais l'Irlande est terre périlleuse pour tous ceux de Cornouaille et pour lui doublement car il a tué Morholt. L'oubliez-vous ?

Tristan voyait bien le piège où la jalousie des barons l'enfermait. Toutefois l'honneur — et aussi son orgueil — l'empêchaient de se dérober.

— J'irai la chercher, dit-il, et vous la ramènerai, j'en fais serment sur les reliques, pour qu'elle soit votre épouse et notre reine à tous.

---

1. Éconduit, *p. p.* : repoussé, rejeté.

Le roi Marc hésita longuement puis il finit par accepter que Tristan parte en ambassade demander en son nom au roi d'Irlande la main de sa fille Iseult.

Tristan fit entrelacer le cheveu blond dans son bliaut tissé d'orfroi[1] comme un fil d'or de plus. Il équipa une nef, prit avec lui cent chevaliers des plus nobles familles, les plus belles armes, les meilleurs chevaux. Il embarqua aussi des vivres, du miel, du vin et des fourrures pour d'éventuels cadeaux.

Et la nef cingla vers l'Irlande.

---

1. Bliaut tissé d'orfroi : longue tunique de dessus brodée d'or.

III

LE DRAGON

APRÈS de longs jours, le navire atteignit son but, aborda au rivage et trouva le pays en proie à la désolation.

Un horrible dragon au corps couvert d'écailles, aux griffes de lion, à la queue de serpent ravageait l'Irlande. Crachant le feu et le venin, il tuait tous ceux qu'il atteignait.

Le roi d'Irlande avait eu beau promettre de donner sa fille Iseult en mariage à qui les délivrerait de ce monstre, nul n'osait le combattre – il avait fait trop de victimes ! À son approche, tous s'enfuyaient ou se cachaient.

En apprenant la chose, Tristan vit quel parti il pouvait en tirer pour son ambassade. Sans rien dire à personne, il quitta la nef quand parut l'aube. C'était l'heure où le dragon sortait de son repaire. Monté sur son cheval, Tristan marcha sur lui.

Le souffle empoisonné du dragon noircit comme du charbon l'acier du heaume de Tristan et son cheval s'abattit, mort. Mais Tristan, enfonçant son épée dans la gueule du monstre, parvint à lui percer le cœur et le dragon mourut en poussant un affreux dernier cri.

Tristan lui coupa la langue qu'il glissa dans sa chausse comme preuve de son exploit. Hélas pour lui ! Le venin qu'elle contenait lui paralysa les membres en quelques instants. Il ne put que se traîner près d'un bois, au bord d'un étang dont luisaient les eaux tranquilles et là, parmi les hautes herbes, Tristan tomba, inanimé.

*Le venin
lui paralysa
les membres
en quelques
instants.*

Cependant l'affreux cri d'agonie[1] du dragon avait alerté les gens qui accoururent près du repaire du monstre et, en tout premier, le sénéchal du roi d'Irlande, Aguinguerran le Roux. On le savait aussi fourbe que lâche, ainsi s'étonna-t-on beaucoup en l'entendant clamer partout d'un ton glorieux : « Je l'ai tué ! Oui, moi ! » Et le roi plus que quiconque : il connaissait trop bien son sénéchal. Il suspectait quelque ruse et se désolait d'avoir à lui donner sa fille mais il avait promis – et solennellement. Pouvait-il se dédire ?

Quand elle apprit qu'il lui faudrait épouser Aguinguerran le Roux qu'elle détestait et méprisait, Iseult fut au désespoir et appela la reine sa mère :

– Il n'a pas pu tuer le monstre, il a menti, j'en suis certaine ! Allons voir près du cadavre du dragon. Peut-être retrouverons-nous,

---

1. Cri d'agonie : cri poussé juste avant de mourir.

mort ou vivant, celui qui l'a réellement tué !

Par une porte secrète donnant sur le verger, elles sortirent toutes deux du château, accompagnées seulement de Brangien, la plus fidèle de leurs servantes, et d'un valet dont on était sûr.

Arrivée près du cadavre du dragon, Iseult remarqua un autre cadavre, celui du cheval de Tristan.

– Regardez, mère ! Jamais le sénéchal n'a monté ce cheval. Il n'est ni ferré ni harnaché comme ceux d'Irlande ! Il appartenait sûrement à un étranger qui, lui, a tué le dragon ! Mais où peut bien être son corps ?

Elles cherchèrent alentour, virent la traînée dans les hautes herbes et découvrirent, près de l'étang, Tristan inanimé. Le valet et Brangien le soulevèrent et le portèrent en secret, au palais, sur ordre de la reine.

En le déshabillant, on trouva, dans sa chausse, la langue du dragon. C'était la preuve du mensonge d'Aguinguerran. Restait à démas-

quer le fourbe sénéchal et, pour cela, il fallait d'abord guérir Tristan.

La reine y parvint aisément grâce à sa connaissance du secret des herbes et elle sauva Tristan une seconde fois en continuant d'ignorer qui il était.

Mais un matin, Iseult voulut nettoyer l'épée du jeune homme encore couverte du sang du dragon. Elle remarqua la forme étrange d'une ébréchure de la lame, revit le morceau d'acier fiché dans le crâne du Morholt mort et comprit que l'étranger était Tristan de Loonois, son meurtrier.

La colère s'empara d'elle, et le désir de venger la mort de son oncle. Elle saisit l'épée et courut vers le lit où Tristan était encore étendu.

La faisant tournoyer au-dessus de la tête du blessé, elle cria :

– Je sais désormais qui tu es et je veux que tu meures par cette même épée avec laquelle tu as tué mon oncle !

Il parvint avec peine à arrêter le bras d'Iseult,

car il était encore faible, et dit habilement :

– Soit ! Tue-moi. Ma vie t'appartient puisque tu l'as sauvée par deux fois, que c'est vrai, j'ai tué Morholt, ton oncle. Mais ce fut seul à seul et en combat loyal. Ses compagnons peuvent en témoigner. Interroge-les avant de m'abattre.

La sentant un peu ébranlée, il ajouta :

– Songe également que si je meurs, nul ne pourra démasquer le sénéchal et que tu seras forcée de l'épouser.

Elle jeta l'épée et s'en alla.

Puis elle alla trouver le roi son père. Elle redoutait sa colère quand il apprendrait la vérité au sujet de Tristan.

– Promettez-moi, dit-elle, que, si je vous amène celui qui a réellement tué le dragon, quel qu'il soit et quoi qu'il ait fait dans le passé, vous lui pardonnerez et vous tiendrez votre serment de me donner à lui pour épouse.

Le roi fut étonné mais promit.

IV

LE PHILTRE D'AMOUR

LE lendemain, Iseult mena Tristan auprès du roi. À sa vue il y eut un moment de stupeur puis les barons se récrièrent : que venait faire là le meurtrier du Morholt ?

Le roi les fit taire, puis il écouta attentivement le double récit que lui fit Tristan de la mort du dragon et de celle du Morholt. Il pardonna l'une en merci de l'autre. Tandis qu'Aguinguerran, banni de la cour, fuyait sous les huées, le roi donna solennellement sa fille Iseult pour épouse à Tristan.

Ce dernier, tirant alors de son bliaut d'orfroi le cheveu blond qu'il y avait fait entrelacer, conta l'histoire des hirondelles venues un matin de la mer et de son serment de ramener la fille au cheveu d'or pour épouse à son oncle le roi Marc.

– Ce serment, roi d'Irlande, il me faut le tenir. Je n'y faillirai point. J'ai là, sur le rivage, une nef et cent nobles chevaliers prêts à jurer sur les reliques saintes que le roi Marc de Cornouaille prendra Iseult pour femme et qu'ils la serviront comme leur dame et reine en gage de paix pour nos deux pays.

Le roi d'Irlande accepta l'offre et l'on commença les préparatifs du départ d'Iseult pour la Cornouaille. Dans la joie générale, elle seule demeurait sombre, blessée et humiliée de se voir traitée par Tristan comme une captive qu'on dédaigne pour l'offrir à un autre – fût-il roi.

La reine sa mère, qui l'observait, craignait qu'elle ne soit malheureuse à Tintagel, près du roi Marc qui était vieux. Elle prépara en secret un mélange d'herbes et de certaines fleurs cueillies sur la montagne à certaines heures de nuit et les fit infuser dans un flacon de vin que, par prudence, elle choisit semblable aux flacons ordinaires.

Elle le confia à Brangien, la fidèle servante qui suivait Iseult en Cornouaille et lui ordonna de faire boire ce vin herbé à sa maîtresse et au roi Marc le soir de leurs noces. C'était un philtre d'amour ; ceux qui le boiraient ensemble s'aimeraient follement un long temps.

C'était un philtre d'amour.

Les préparatifs de départ achevés, la nef fit voile vers la Cornouaille, emportant à son bord Iseult la Blonde aux côtés de Tristan et des cent chevaliers.

Or il arriva qu'au cours du voyage, un jour de grande chaleur qui était celui de la Saint-Jean d'été, Tristan et Iseult se trouvèrent seuls sur le pont de la nef. Le miroitement de la mer ajoutant à l'ardeur du soleil, ils eurent

soif, trouvèrent le flacon et, sans se méfier, burent le vin magique.

Dès cet instant, sous l'emprise du philtre, ils commencèrent à s'aimer follement pour leur bonheur et leur souffrance, car il était trop tard : Tristan ne pouvait renier la promesse faite à son oncle sous serment. Iseult ne pouvait plus qu'épouser le roi Marc. Ce qui se fit, avec de grandes fêtes, dès que la nef fut arrivée au rivage de Cornouaille.

Tristan et Iseult s'efforcèrent de cacher leur amour autant qu'ils le pouvaient. Par loyauté envers le roi Marc ils luttèrent contre leur folle passion. Mais le tourment d'amour était si fort en eux qu'ils cherchaient toutes les occasions de se retrouver en secret, seuls. C'était parfois dans un verger et parfois dans la chambre même de la reine.

Le roi Marc ne soupçonnait rien mais les barons, qui jalousaient toujours autant Tristan, l'espionnaient ainsi qu'Iseult et surprirent leur manège.

Ils avertirent le roi Marc, qui prit les jeunes gens au piège. Dans sa colère, il les condamna à être tous deux brûlés vifs, le lendemain, sans jugement.

Quand l'aube pointa, les gardes conduisirent Tristan, le premier, vers le bûcher dont on voyait déjà s'élever la fumée. Sur le chemin qui y menait, une chapelle se dressait au bord d'une haute falaise. Tristan demanda d'y aller un instant prier. Les gardes le détachèrent et il entra seul.

Au fond de la chapelle, une étroite fenêtre dominait le vide. Tristan y courut et sauta, préférant se briser les os au pied de la falaise plutôt que de périr brûlé. La chance fut qu'une table de pierre, juste en dessous de la fenêtre, arrêta sa chute. De là, il bondit sur le sable, s'élança vers les gardes entourant Iseult, saisit une épée et parvint à la libérer.

Puis tous deux s'enfuirent dans la profondeur de la forêt du Morois où nul ne pourrait les rejoindre.

Durant trois années ils menèrent là une vie errante, rude et misérable, se nourrissant d'herbes et de racines, buvant l'eau des ruisseaux, couchant sur les fougères, s'abritant comme ils pouvaient sous des cabanes de branchages. Mais ils étaient ensemble et en éprouvaient un âpre[1] bonheur.

Leurs vêtements, peu à peu, s'élimaient et tombaient en haillons, leurs visages et leurs corps étaient amaigris. Malgré leur amour, parfois ils étaient tristes et se demandaient s'ils étaient coupables de s'aimer ainsi, non par leur volonté mais par la force magique d'un vin herbé bu par hasard. Et Iseult continuait à porter à son doigt l'anneau d'or orné d'émeraudes que le roi Marc lui avait donné le jour de leurs noces.

Un soir, Tristan rentra à leur cabane si fatigué qu'il s'étendit tout habillé auprès d'Iseult et plaça son épée à son côté, entre elle et lui,

_____

1. Âpre, *adj.* : dur, cruel.

sans avoir le courage de la remettre dans son fourreau. Tous deux s'endormirent.

Or, vers le matin, le roi Marc, prévenu par un traître, vint droit à la cabane pour les châtier. Mais quand il les vit amaigris, misérables, couchés côte à côte avec entre eux deux l'épée nue[1], sa colère tomba et il n'éprouva plus le désir de se venger. Pour le leur montrer, il retira doucement l'épée de Tristan et glissa la sienne à la place. Puis il échangea l'anneau qu'il portait au doigt avec celui d'Iseult et partit sans bruit.

Lorsqu'ils s'éveillèrent et qu'ils virent l'épée du roi Marc et son anneau, ils comprirent ce qui s'était passé. Ils décidèrent de retourner à Tintagel, de renoncer à leur amour, si pénible que cela puisse être, et de se séparer.

---

1. « Avec entre eux deux l'épée nue » : en voyant l'épée, objet sacré, placée entre les jeunes gens, le roi Marc croit qu'ils n'ont pas consommé leur amour.

ISEULT AUX BLANCHES MAINS

POUR oublier sa peine, Tristan se mit à voyager. Un jour qu'il traversait la petite Bretagne, que l'on nomme aussi Armorique, le vieux duc le reçut à sa cour. Il avait une fille belle et sage. On l'appelait Iseult aux Blanches Mains. Son nom émut Tristan et il trouva à son visage un air de ressemblance avec celui de l'autre Iseult. Il crut pouvoir l'aimer comme on aime un reflet et l'épousa.

Malgré tous ses efforts, il ne réussit pourtant pas à chasser de son cœur l'amour

Elle ne rêva plus que de se venger.

d'Iseult la Blonde. Iseult aux Blanches Mains le comprit vite et ne rêva plus que de se venger. Elle y parvint, voici comment.

Une nouvelle fois, Tristan avait reçu, lors d'un combat, une blessure empoisonnée que personne ne savait soigner et le mal, chaque jour, empirait. Il se sentait mourir.

Il envoya un messager à la cour du roi Marc pour supplier Iseult de venir près de lui. Peut-être parviendrait-elle à le guérir comme jadis sa mère l'avait fait. Et si c'était impossible, s'il devait mourir, ce serait du moins auprès d'elle.

Le messager partit et Tristan se mit à guetter chaque jour sur le rivage le retour de la nef qui l'avait emporté vers la Cornouaille. Il gardait l'espoir de la voir ramener Iseult.

Cette dernière était partie, dès l'arrivée du messager, dans une hâte folle de revoir Tristan et de le guérir. Mais le voyage était long. Des orages et des tempêtes, des vents contraires et violents retardèrent encore la marche de la nef. Iseult se désespérait.

Tristan, de son côté, s'affaiblissait de plus en plus. Bientôt il n'eut plus la force de guetter sur le rivage et dut rester étendu dans sa chambre. Assise à son chevet, Iseult aux Blanches Mains surveillait pour lui l'horizon. Un jour parut enfin la nef tant attendue. Tristan se soulevant à demi sur son lit, s'enquit avec angoisse de la couleur de la voile. Il avait ordonné que l'on mette une voile blanche si la nef ramenait à son bord Iseult, une noire dans le cas contraire.

Iseult aux Blanches Mains tenait enfin sa vengeance et répondit, au mépris de la vérité :

– La voile est noire.

Le visage de Tristan perdit alors toute couleur et ses traits s'affaissèrent. Il ne lutta plus pour vivre et, se tournant vers la muraille, il rendit le dernier soupir.

Cependant Iseult la Blonde débarquait en toute hâte et courait au château. Déjà les cloches sonnaient le glas et les gens dans les rues disaient : « Tristan est mort ! »

Tristan est mort !

La douleur la poignit et la fit suffoquer mais elle entra dans la salle où il gisait et, le tenant embrassé, mourut à son tour de la violence de son désespoir.

Une nef emporta leurs corps embaumés à Tintagel, chez le roi Marc. Quand il les vit couchés, morts, côte à côte, il se souvint de la cabane dans la forêt du Morois où il les avait surpris un matin, endormis. Et il ordonna qu'on les mette en un même lieu dans deux tombes semblables et que sur l'une on plante un rosier rouge, sur l'autre un cep de vigne, de manière qu'avec le temps rameaux et fleurs se mêlent si étroitement qu'à l'image des deux amants on ne puisse plus les séparer.

*Il ordonna
qu'on les mette
en un même
lieu dans
deux tombes
semblables.*

LES CHANSONS DE GESTE

LES FABLIAUX

LA LITTÉRATURE SATIRIQUE

LES CONTES D'AMOUR COURTOIS

Jacqueline Mirande

est née dans le Bordelais.

Enfant, elle a beaucoup aimé les histoires

que lui racontait l'une de ses grand-mères.

Elle a eu envie, à son tour, d'en écrire pour les jeunes :

des récits et légendes inspirés du folklore mais aussi

des romans historiques et des romans d'aventures

qu'elle prend grand plaisir à imaginer.

DU MÊME AUTEUR :

Aux éditions Nathan,
dans la collection « Contes et Légendes » :
Contes et Légendes - Les Chevaliers de la Table Ronde, 1998.

Chez d'autres éditeurs :
Sans nom ni blason, Pocket Junior, 1997.
Le Cavalier, Pocket Junior, 1999.
Pauline en juillet, Rageot
(Cascade), 1995.
Libraire de nuit, Flammarion
(Castor poche), 1997.
Double meurtre à l'abbaye, Flammarion
(Castor poche), 1998.

André Juillard

Influences
Au tout début il y eut Babar, puis Tintin,
ensuite l'Égypte antique, Ingres, Goya
et Tintin à nouveau avec Moebius et Tardi,
en même temps que l'estampe japonaise
et l'Art nouveau autrichien.

Amours
Il y eut encore Babar, cette fois pour ses enfants,
les livres de Harlin Quist qu'ils n'aimaient pas,
Arthur Rackham, Gus Bofa, le cinéma, la photographie,
les rues de Paris et les églises d'Auvergne.

Parcours
Les Arts-déco de Paris, quatre ans durant,
et il y a vingt ans déjà,
ses débuts dans des éditions catholiques,
puis sans vergogne aux éditions communistes
et chez d'autres éditeurs sans étiquettes apparentes,
avec à ce jour une vingtaine d'albums de bande dessinée
et deux livres illustrés, aux éditions Futuropolis.

DANS LA MÊME COLLECTION

Nº d'éditeur : 10240783
Dépôt légal : août 2010
Imprimé en décembre 2017 en Espagne par Graficas Estella

La vie quotidienne au Moyen Âge

Le Moyen Âge a duré presque dix siècles mais les contes et légendes ont été écrits du XIᵉ au XIIᵉ siècles.

Ce sont donc les coutumes de cette époque qu'ils évoquent, même lorsqu'il s'agit

de personnages ayant vécu bien avant, comme Charlemagne et Roland.

Et c'est la vie quotidienne de ces hommes, chevaliers ou paysans, seigneurs ou serfs, qui nous intéresse.

UNE VIE CAMPAGNARDE

LES VILLES, certes, existent mais elles sont en général petites et n'ont guère plus d'habitants qu'un bourg actuel, mis à part quelques places importantes comme Paris, Londres, Venise, Aix-la-Chapelle ou Constantinople. La plupart des gens vivent donc à la campagne, dans des villages, des hameaux, autour du château d'un seigneur ou d'une abbaye.

la cuisine. La fumée sort par un trou du toit. Un petit jardin, près de la maison, produit quelques légumes. Au-delà s'étendent les champs, les prés, des landes incultes et beaucoup de forêts.

EN VILLE, les habitations se serrent le long de rues étroites rendues boueuses par l'absence de pavés et

LA MAISON PAYSANNE est pauvre, faite le plus souvent d'une seule pièce au sol de terre battue, sans fenêtres. L'unique clarté vient de la porte. Une cheminée sert à la fois pour le chauffage et

malodorantes par tous les détritus qu'on y jette.

Les boutiques occupent le rez-de-chaussée et les étals ouvrent à même la rue.

S'il existe des fenêtres – contrairement aux maisons paysannes –, elles sont tendues, en guise de vitres, de feuilles de parchemin huilé qui n'aident pas à la clarté ! Le verre est cher et réservé aux maisons nobles ou aux églises.

Au Moyen Âge, la clarté est un luxe. Seuls les rois et les riches seigneurs usent, pour s'éclairer, de cierges faits de cire d'abeille. Les autres se contentent de chandelles de suif, de torches de résine qui sentent fort et enfument les salles. Même cela est encore trop cher pour de simples paysans qui n'ont d'autre ressource, quand la nuit vient, que de se coucher et de dormir.

LE CHÂTEAU

C'est l'habitation noble par excellence. Les plus importants – ceux des rois, princes ou grands barons – sont bâtis en pierre. Ceux des petits seigneurs et des châtelains locaux sont faits de torchis et de bois. La pierre est signe de richesse car il est plus facile, avec les moyens rudimentaires de l'époque, de couper des arbres que d'extraire les pierres d'une carrière.

Ces petits châteaux ressemblent donc davantage à des fermes fortifiées avec une tour de défense – ou donjon – également en bois et entourées d'une simple palissade et d'un fossé. Les grands châteaux forts, au contraire, sont protégés par de larges douves et de solides murs d'enceinte.

L'intérieur comporte les mêmes différences. Le simple châtelain conservera

Tapisserie

Au contraire, les murs des châteaux importants s'ornent, depuis les croisades, de tissus d'Orient, de tapisseries, et les sols se couvrent de tapis. Dans

le dallage nu ou le plancher en bois couvert de foin en hiver, d'herbes odorantes (menthe, laurier) ou de fleurs (iris, glaïeuls) en été.

tous, la cuisine, par peur de l'incendie, est toujours à l'extérieur du château.

Le mobilier est réduit ! Des lits, quelques coffres servant à la fois d'armoires, de tables et de sièges.
Les lits sont très grands et carrés parce que communs, les uns aux hommes, les autres aux femmes. La literie est assez proche de la nôtre : un matelas ou une paillasse, des couvertures de simple serge ou de laine, les draps en lin ou en soie, blancs et brodés dans les riches demeures, en chanvre très râpeux chez les autres. On couche en général nu mais on garde sa chemise près de soi roulée sous l'oreiller afin de l'enfiler au matin avant de se lever !

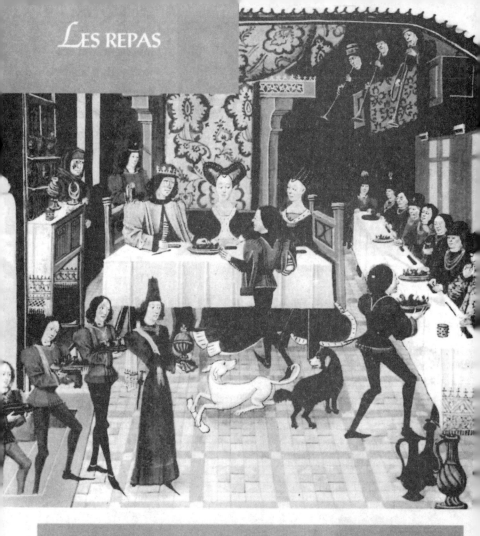

LES REPAS

La table est faite d'une simple planche dressée sur des tréteaux au
hasard d'une salle. Il n'existe pas de salle à manger. On met une
nappe — chez les seigneurs ! —, on dispose des assiettes d'argent,
d'étain ou de simple terre cuite. On ignore l'usage de serviettes
ou de fourchettes. Les cuillères sont peu nombreuses et un couteau
sert pour deux. On boit à plusieurs dans un hanap ou seul dans un
gobelet en étain. Le « service de table » fait partie de l'éducation d'un chevalier. C'est, en effet, le fils d'un chevalier vassal, en « apprentissage » chez son seigneur, qui lui sert à table
viande et vin et non pas un domestique.

L'inégalité entre riches et pauvres se retrouve dans l'alimentation.

LA NOURRITURE DES SEIGNEURS est basée sur la viande, surtout celle du porc. Les bœufs sont réservés aux travaux des champs et les moutons sont élevés pour leur laine. Le gibier tient une grande place car le seigneur chasse beaucoup. On a recours au poisson les jours, nombreux, où l'Église oblige à jeûner. La volaille est très appréciée. Les cygnes, paons, hérons sont servis rôtis ou accommodés de sauces très épicées : poivre, cannelle, cumin, girofle, des produits chers, venus d'Orient. Les légumes, qu'on appelle « herbes », sont réservés aux jours de jeûne. Les pâtisseries sont à base de miel, d'amandes et d'œufs. Le miel remplace le sucre pratiquement inconnu. On en met même dans le vin, souvent aigre, car on ne sait pas le conserver. Avec les croisades, on découvre des fruits inconnus en Occident : les abricots, les melons, les dattes, les oranges.

L'ALIMENTATION PAYSANNE est réduite, elle, au pain, aux galettes et bouillies de céréales, aux légumes cultivés dans le jardin près de la maison, aux fruits sauvages. Seul le seigneur a un verger et le droit de chasse. Le paysan ne peut donc se procurer du gibier qu'en braconnant – à grands risques ! Et il ne mange d'autre viande que celle du porc tué en décembre, salé, et dont il se nourrit le reste de l'année. L'ail, le persil, le thym, la menthe ou le fenouil lui servent d'épices et les mieux nantis ont quelques volailles qu'il leur faut préserver du renard !

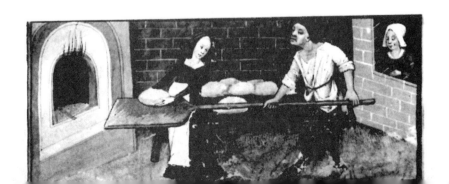

DISTRACTIONS NOBLES

On s'ennuie beaucoup dans ces châteaux, surtout en hiver. D'où l'importance des visiteurs, surtout s'ils viennent de pays lointains comme l'Orient des croisades et ont des récits à raconter. D'où, également, l'intérêt porté aux jongleurs, troubadours, montreurs d'animaux et faiseurs de tours.

La chasse est en tout temps la seule occupation. Le seigneur chasse au lévrier des bêtes sauvages : loups et ours, dont les forêts abondent, ainsi que du plus petit gibier, tels les lapins et les lièvres.

Pour la chasse aux oiseaux, on utilise un faucon.

La fauconnerie est un art noble qui vient de la Perse et des Arabes. Un art difficile et qui s'apprend : un faucon se dresse selon

des règles précises. Son prix est élevé et il est interdit à un vilain (paysan) d'en posséder.

Dès qu'arrive le printemps et que les chemins et sentiers sont praticables, les tournois constituent une autre forme de distraction

ainsi qu'une source de revenus pour les chevaliers pauvres. À la fin du combat, en effet, le vaincu doit payer une rançon à son vainqueur, comme à la guerre.

Dans les châteaux, on joue à des jeux de société. Ainsi, notre actuel jeu de dames date du XIII° siècle. Mais le jeu noble par excellence, ce sont les échecs. L'échiquier est un objet de luxe, plus ou moins précieux selon qu'il est fait en bois ou en métal, en ivoire, en ambre ou en jade. La seule différence avec notre actuel jeu d'échecs tient à la couleur des pièces : les noires étaient alors rouges.

LES TRAVAUX DES CHAMPS ET LES FÊTES

LA VIE PAYSANNE EST RYTHMÉE À LA FOIS PAR L'ALTERNANCE JOUR-NUIT ET PAR LES SAISONS. Les mois d'hiver sont plus spécialement consacrés au repos avec, en décembre, la « ripaille » lorsqu'on tue le cochon. Les travaux ne recommencent qu'en mars avec la bêche et

en septembre et octobre ainsi que les semailles. Commencés au lever du soleil, achevés à son coucher, les travaux durent plus longtemps en été.

LES FÊTES, en ces siècles très chrétiens, sont d'abord des fêtes religieuses : grandes fêtes liturgiques de Noël, de Pâques, de Pentecôte, doublées de fêtes propres aux chevaliers le plus souvent adoubés à Pâques ou à Pentecôte.

Certaines fêtes de saints coïncident avec le paiement des redevances au seigneur, comme la Chandeleur ou la Toussaint. D'autres marquent l'ouverture de foires. On dit encore

la taille de la vigne. Puis se succèdent, en juin, les foins, en août, les moissons et le battage du blé, les vendanges

dans certaines régions « foire de la Saint Martin » ou de nos jours « la Saint Michel ». Bien entendu, le dimanche, nul ne travaille.

Un temps sans heure

Les seules horloges connues – les horloges à eau – étaient rares, imprécises et chères. Les cadrans solaires étaient inutilisables par temps gris. Restaient les cloches des monastères – quand il y en avait – qui sonnaient les offices à intervalles réguliers : en principe toutes les trois heures, du lever du soleil (prime) à la tombée du jour (vêpres).
Le temps était donc rythmé par la seule alternance jour-nuit.

Certaines fêtes, souvenir de très anciennes fêtes païennes de la terre, donnent lieu à des réjouissances spéciales : le « Mai » ou les feux de la Saint-Jean pour le solstice d'été. On danse alors dans les campagnes au son de la vielle et du pipeau.

L'INSTRUCTION

La plupart des chevaliers et des seigneurs ne savent ni lire ni écrire, parfois ils savent signer de leur nom, c'est tout. D'où l'importance que prennent les hommes d'église, seuls ou presque à posséder des connaissances que n'ont pas les autres. Ils sont souvent conseillers des princes pour cette raison.

Et ils ouvrent autour des villes épiscopales et des grandes abbayes des écoles où viennent apprendre aussi bien de jeunes enfants que des adolescents ou des adultes qui deviendront « clercs » à leur tour.

Dans une société aussi « illettrée », on comprend l'importance des récits oraux faits de château en château par les trouvères et les troubadours.

Dès l'âge de sept ans, l'éducation du jeune enfant s'opère par le départ en «apprentissage», bien plus que par son passage à l'école. Selon qu'il est chevalier ou fils d'artisan, il apprendra soit le maniement des armes, les règles des tournois, l'élevage du faucon, soit le métier auquel on le destine : forgeron, charpentier, etc.

On vit donc, très jeune, en dehors de la famille.

Il est à remarquer le petit nombre de représentations de l'enfance dans les peintures et tableaux et l'absence quasi totale d'enfants dans les récits, sans doute parce qu'ils sont considérés très tôt comme des adultes, vêtus comme eux dès qu'ils savent marcher et constamment mêlés à eux.

Une vie nomade

coûteuses. On ne se risque sur mer que pour traverser la Manche, caboter le long des côtes ou se rendre à Jérusalem...

Car le but du voyage est le plus souvent d'accomplir un pèlerinage, acte de dévotion ou de pénitence. On se rend à quelque sanctuaire célèbre, parfois relativement proche : Saint-Martin de Tours, Sainte-Foy de Conques ou la Madeleine de Vézelay ; parfois très éloigné :

Les chemins sont en mauvais état, les ponts sur les rivières plutôt rares, les forêts peuplées de bêtes sauvages et certains châteaux aux mains de seigneurs « brigands ». Il n'existe d'autre moyen de transport que le cheval ou... les pieds, et pourtant on voyage beaucoup au Moyen Âge.

On le fait, il est vrai, de jour et en groupe. Et on utilise au maximum les voies fluviales, plus sûres et moins coûteuses.

Saint-Jacques de Compostelle en Espagne, Saint-Pierre de Rome ou même Jérusalem, en Terre Sainte.

Il arrive également que les tournois et les guerres entraînent les chevaliers loin de chez eux. Et le goût de l'aventure en attire certains au hasard des pays. On les dit alors « chevaliers errants ».

UNE VIE COURTE

La vie est rude, les connaissances médicales peu nombreuses. Quelques notions sont venues de l'Espagne arabe dont les médecins sont célèbres : l'usage de l'opium, par exemple, pour atténuer les souffrances. Mais, le plus souvent, on a recours à des potions d'herbes, à des emplâtres ou à la magie. Manque d'hygiène, ignorance de soins élémentaires font qu'énormément d'enfants meurent en bas âge. Et, chez les adultes, un simple accident, une chute de cheval, un coup d'épée entraînent souvent la mort par hémorragie ou septicémie.

S'y ajoutent ces calamités que sont les épidémies de peste ou les famines. S'il a trop plu ou si la terre est restée trop longtemps gelée lors d'un hiver trop rude, la récolte est perdue et on meurt de faim. C'est une constante du Moyen Âge. Des villages entiers, parfois des villes, sont ainsi dépeuplés au bénéfice des loups.

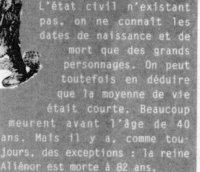

L'état civil n'existant pas, on ne connaît les dates de naissance et de mort que des grands personnages. On peut toutefois en déduire que la moyenne de vie était courte. Beaucoup meurent avant l'âge de 40 ans. Mais il y a, comme toujours, des exceptions : la reine Aliénor est morte à 82 ans.

CONTES ET LÉGENDES

La collection de la mémoire du monde

CONTES ET LÉGENDES
L'Iliade
Jean Martin
Nathan

CONTES ET LÉGENDES
L'Odyssée
Jean Martin
Nathan

CONTES ET LÉGENDES
Les douze travaux d'Hercule
Christian Grenier
Nathan

CONTES ET LÉGENDES
La Mythologie grecque
Claude Pouzadoux
Nathan

CONTES ET LÉGENDES
Les Héros de la mythologie
Christian Grenier
Nathan

CONTES ET LÉGENDES
Les Héros de la Grèce antique
Christian Grenier
Nathan

CONTES ET LÉGENDES
Les Héros de la Rome antique
Jean-Pierre Andrevon
Nathan

CONTES ET LÉGENDES
La naissance de Rome
François Sautereau
Nathan

CONTES ET LÉGENDES
Jason et la conquête de la Toison d'or
Christian Grenier
Nathan

CONTES ET LÉGENDES
Les Métamorphoses d'Ovide
Laurence Gillot
Nathan

CONTES ET LÉGENDES
Les Sept Merveilles du Monde
Anne Pouget
Nathan

CONTES ET LÉGENDES
Les amoureux légendaires
· Gudule
Nathan